Saer Doliau

Gwenlyn Parry

Argraffiad cyntaf—2003

ISBN 1 84323 296 0

ⓗ Ann Beynon a Sera Beynon Jones

Cyhoeddir yr argraffiad hwn gyda chymorth ACCAC a CBAC.

Argraffwyd gan
Gwasg Gomer, Llandysul, Ceredigion SA44 4QL

Saer Doliau

Cyflwynwyd y ddrama hon am y tro cyntaf gan Gwmni Theatr Cymru
ar Daith y Gwanwyn, 1966

Cymeriadau:

Ifans
Merch
Llanc

RHAN 1

YMWELYDD

Amser: Un Bore

*Lle blêr iawn yw Gweithdy'r Saer Doliau gyda chistiau pren, darnau o
goed, offer saer, etc. ar hyd a lled yr ystafell. Ar silffoedd mae'r
doliau—rhai'n garpiog, rhai heb ben, neu goes, neu lygaid, neu fraich.
Yn y mur cefn, mae drws yn arwain allan, ac yn y muriau eraill, drws
yn arwain i'r ystorfa, drws yn arwain i'r seler, a ffenestr fechan gyda
dorau pren arni. Yn y gweithdy, hefyd, mae mainc weithio a theleffon
hen ffasiwn.*

*Pan gyfyd y llen, mae'r golau'n weddol wan ac ymhen ychydig daw'r
Saer Doliau i mewn. Mae'n edrych o gwmpas fel petai'n disgwyl gweld
rhywun yno.*

IFANS: Bore da, blant. Sut noson gawsoch chi? M-m? (*Mae'n hongian ei
gôt law ar hoelen, ond ceidw ei gap am ei ben*) Pawb wedi cysgu'n
iawn? Ynte gawsoch chi'ch styrbio. Na hidiwch, mae'r hen Ifans yma
eto i'ch trwsio chi, ac i edrych ar ych ôl chi. Nawr 'te, gadewch i ni
weld ein gilydd. (*Egyr ddorau'r ffenestr a llifa'r golau i mewn*) A!
Bore braf. (*Troi at y doliau*) Nawr 'te, pwy sy gynta? Na, 'rhoswch
chi . . . (*Mae'n ceisio cofio rhywbeth*) . . . Be' hefyd? Ym . . . o, ie,
côt weithio, siŵr iawn. Rhag ofn i chi fethu fy nabod i, yntê, ac i
gadw fy nillad inna'n lân. Ble ma' hi hefyd? Oes rhywun wedi'i
gweld hi? M-m! Fan hyn gadewais i hi. Ynte fan'cw? (*Daw o hyd i'r*

gôt weithio) A, dyma hi. Mi wyddwn i'n iawn ble'r oedd hi, ond nad o'n i ddim yn cofio. (*Gwisga'r gôt*) Nawr 'te, ble'r oedddwn i? (*Edrych o'i gwmpas ar y doliau*) Pwy sy gynta'r bore 'ma? Eh? Leusa, Marged, Siani, Betsan, Gygls. (*Cyfyd un o'r doliau ac edrych arni*) Am enw. Gygls! (*Mae'n gwasgu bol y ddoli ac yna ei hysgwyd. Clywir sŵn rhywbeth yn rhydd y tu mewn iddi.*) Mae dy du mewn di'n racs, Gygls. Ydyn nhw'n disgwyl i mi drwsio'r tu mewn yn ogystal â'r tu allan? Aros di ble'r wyt ti. Mae gen i ddigon ar fy mhlât heb ymhèl â dy du mewn di. Pwy arall? Na, arhoswch funud. Dwi ddim wedi gorffen eto efo Sera Jên, 'naddo? (*Â at y fainc a chodi dol ungoes*) Mae'r goes yna'n sownd fel cloch, beth bynnag . . . ydi, fel cloch, Sera Jên. (*Mae'n craffu ar y goes*) Aros di. Oes wir. Oes wir. Crac bach yn dy ben-glin di. Ond mi rwbia i dipyn o wêr cannwyll i hwnna. Does dim byd gwell na gwêr cannwyll i lenwi cracia. (*Cnoc ar y drws*) O wel, rhaid i ti aros am funud. (*Mae'n cerdded at y drws*) Doliau eto, reit siŵr. Parsel newydd o hyd o hyd. O, wel . . . (*Egyr y drws. Nid oes neb na dim i'w weld ond parsel ger y drws. Caria Ifans ef at y fainc, gan deimlo'i bwysau.*) Mae mwy nag un yn hwn. Does byth ddiwedd ar waith saer doliau. (*Tyn y papur ac edrych i'r parsel. Nid yw'n hoffi'r hyn mae'n ei weld.*) Go damia las! Sawl gwaith mae eisiau dweud yr un peth. Does gen i ddim amser i edrych ar betha fel hyn. Mae gen i ddigon fel mae hi. (*Mae'n tynnu doli ddu garpiog o'r parsel a'i thaflu oddi wrtho. Daw dwy neu dair arall o'r parsel.*) Wel, myn cebyst. Blacs i gyd. Petha caridyms, dyna ydyn nhw. Rydw i at 'y ngwddw mewn gwaith fel mae hi heb gymryd y rhain i mewn.

IFANS (*Parhad*): Mi gawn ni weld pwy sy'n mynd i gael y llaw uchaf, pwy ydi'r meistr yma, o cawn. Digon digywilydd i mi . . . Rhaid i ddyn ofalu am ei hunan-barch. O rhaid. Mi ro i stop ar hyn. (*Mae'n croesi at ddrws y seler, gwrando am ennyd, ac yn datgloi'r drws. Trwy gydol y ddrama, mae allwedd y seler wedi ei chlymu o gylch ei wddf ac yn hongian y tu mewn i'w drowsus. Wedi gwneud hyn, mae'n casglu'r doliau duon i gyd.*)

IFANS: A thithau hefyd (*yn codi Gygls*) Ydw i i fod i wneud gwyrthiau hefo cynnwys boliau? (*Mae'n taflu'r doliau i'r seler*) Gwehilion! (*Mae'n cau'r drws a'i gloi ar frys*) Mae gen i barch i 'nghrefft. A rhywun sy'n meddwl yn wahanol, ma'n nhw'n gwneud andros o fistêc. O ydyn. 'Tasan nhw'n cael eu ffordd eu hunain, mi fasa'r lle 'ma fel tŷ Jeraboam. A fedrwn i ddim goddef peth felly. Does dim byd yn debyg i fod yn drefnus. (*Daw'n ôl at ei fainc a chodi'r ddol ungoes*) Ble mae'r goes arall 'na? (*Chwilia o gwmpas y fainc*) Petai dyn yn cael llonydd i wneud ei waith, fydda peth fel hyn ddim yn digwydd . . . y blacs yna'n dŵad i styrbio rhywun. (*Mae'n dyfalu am ennyd*) Falle 'i bod hi wedi mynd efo'r siafins. (*Mae'n edrych mewn hen focs sy'n llawn i'r ymylon. Tyrcha ei law iddo.*) Helo . . . dyma hi. (*Mae'n tynnu morthwyl allan gan edrych yn hurt arno*) Sut aeth hwn i fan'na, ys gwn i? Mi ddylwn wybod y gwahaniaeth rhwng coes morthwyl a choes Sera Jên. Twt lol, cynhyrfu efo'r parsel felltith 'na wnes i. Dim byd arall. (*Dyry'r morthwyl o'r neilltu gan ddechrau chwilio eto am goes y ddoli*) Dwi'n siŵr i mi 'i gweld hi neithiwr . . . Ynte fi sy'n meddwl? Dwi'n cofio . . . ia . . . mi rhois hi ar y fainc wrth ochr . . . wrth ochr . . . wrth ochr rhywbeth. (*Mae'n chwilio'r fainc eto. Mae'n crafu ei ben a meddwl yn galed.*) Y bocs tŵls! (*Rhuthra ato a gwagio'i gynnwys yn ddiseremoni ar y llawr*) Wn i ddim i be' mae hanner y rhain yn dda. (*Mae'n amlwg nad yw coes y ddoli yn y bocs*) Ifans, yr hen ffŵl, paid â chwilio dim rhagor. Fo sydd wedi mynd â hi. (*Ymddengys bod y 'fo' hwn y tu hwnt i ddrws y seler*) Mi'i gwela hi. Fo cipiodd hi i gael hwyl am 'y mhen i. (*Symuda'n gyflym at y teleffon, ond wrth iddo frysio i'w godi saif i ymbwyllo. Mae'n tynnu ei gap, ymbarchuso, ac eistedd. Sylla ar y ffôn am ennyd, yna gafael ynddo'n ofnus-barchus a dechrau siarad.*) Helô, Giaffar . . . Giaffar, ydach chi yna? . . . Ifans sydd 'ma . . . Ifans Saer Doliau . . . Mae'n flin gen i'ch poeni chi, ond mae *o* wedi bod wrthi eto . . . *Fo,* Giaffar, fo sydd yn y seler. Mae o wedi bod yn prowla eto . . . Coes y ddol, Giaffar, coes Sera Jên. Wedi chwilio bob man, a does neb arall alla fod wedi mynd â hi . . . Gwrandwch, Giaffar, faswn i ddim yn meiddio mynd â'ch amser chi oni bai 'mod i wedi cael mwy na digon ar 'i *antics* o . . . Do, wrth gwrs, mi fydda i'n cloi bob nos. Dyna'r peth ola 'nes i, a phoeri ar yr allwedd wedyn. Poeri, Giaffar, poeri ar yr allwedd. Wel, os na fydda i'n cofio 'mod i wedi poeri ar yr allwedd, mi fydda i'n dod yn ôl bob cam rhag ofn 'mod i wedi anghofio cloi'r drws. Ond os byddai'n cofio 'mod i wedi poeri ar yr allwedd, mi fydda i'n gwybod fod y drws wedi'i gloi, oherwydd ar ôl cloi'r drws y bydda i'n poeri ar yr allwedd. Dwi'n cofio poeri neithiwr, felly fe gafodd y drws ei gloi . . . Gwrandwch, Giaffar, rhyngoch chi a fi, cerdded drwy'r muriau mae o, greda i. Fedrwch chi mo'i weld o, beth bynnag . . . ia, dyna ydi o, anweledig. Fel gwynt. Siŵr i chi . . . O galla, galla, mi alla i brofi'r peth. Faswn i byth yn cyhuddo neb o ddim os na fedrwn i brofi . . . Mi ddeuda i wrthoch chi. Dach chi'n cofio i mi riportio fod llygad chwith y ddoli glwt goch wedi diflannu . . . wel, lliw dydd gola oedd hynny, a reit o

dan y 'nhrwyn i. Ffwt—fel'na. Na, na. Na, na, mi sgubais i'r lle o'i
ben i'w gwr, bob twll a chongol, ac mi wyddoch un mor drwyadl a
gofalus ydw i efo popeth . . . A heddiw y morthwyl yn y bocs siafins
a dim hanes o goes Sera Jên. Rydw i wedi cael digon arno fo, Giaffar,
ac mi fydd raid gwneud rhywbeth reit sydyn yn 'i gylch o. Poeni
amdanyn nhw ydw i, y dolia. Dydw i ddim mo'i ofn o fy hun,
cofiwch, yn enwedig wrth ych bod chi y pen arall i'r lein 'ma. Ond
amdanyn nhw, fydd 'na ddim un ar ôl os caiff o'i ffordd. Prun
bynnag. Giaffar, mi ddalia i i'w gadw fo dan glo, rhag ofn, yntê.
(*Daw'r ferch ifanc i mewn. Adweithia'r saer iddi, gan ddwyn y sgwrs
i ben cyn gynted ag y medr.*) Mae gwaith yn galw nawr. Diolch i chi,
Giaffar . . . Rhaid i mi fynd . . . gwaith yn galw . . . diolch yn fawr . . .
dyna chi . . . dyna chi . . . Da boch chi. Da boch chi, Giaffar. Da boch.
(*Try'r Saer i wynebu'r ferch. Mae hi â'i chefn ato yn edrych ar y
doliau. Merch ifanc olygus ydyw, wedi ei gwisgo'n ddeniadol. Mae'n
ddymunol ac annwyl a phan awgryma feirniadaeth ni fradycha'r
caledwch sydd o dan y croen.*)

IFANS: Hei! Hei, chi fan'na. Be' ydach chi'n feddwl ydach chi'n 'neud?

MERCH: Dim. Dwi'n gwneud dim. Edrych ydw i.

IFANS: Clywch. Gwrandewch. Chewch chi ddim. Does gynnoch chi
ddim hawl.

MERCH: Ewch ymlaen â'ch gwaith, Mr Ifans. Peidiwch â gadael i mi
darfu arnoch chi.

IFANS: Tarfu! Wrth gwrs ych bod chi'n tarfu arna i. Dydach chi ddim i
fod i mewn yma. Does neb yn cael dod yma. Neb.

MERCH (*yn nesáu ato gan edrych o gwmpas yr ystafell*): Diddorol.

IFANS: Be' sy'n ddiddorol?

MERCH: Yr olwg sydd ar y lle 'ma.

IFANS: Golwg? O, wel, ia, dyna fo dach chi'n gweld. Camargraff. Fel
hyn yr ydw i wedi trefnu'r gweithdy—i fy siwtio i dach chi'n gweld.
Mi wn i'n union ble mae pob peth.

MERCH: Diddorol.

IFANS: Be'?

MERCH: Chi, Mr Ifans. Rŷch chi'n ddiddorol iawn. I mi, beth bynnag.

IFANS: Ydw i'n ddiddorol i chi?

MERCH: Wrth gwrs. Dyna pam yr ydw i yma.

IFANS (*Yn methu gwybod sut i adweithio*): Hei, hei, clywch. Gwrandwch.

MERCH: Ia?

IFANS: Yn ddiddorol be' dach chi'n 'i feddwl?

MERCH: Be' da *chi'n* 'i feddwl?

IFANS: Be' *dwi'n* 'i feddwl? Be dach *chi'n* 'i feddwl?

MERCH: Be' dach chi'n 'i feddwl dwi'n 'i feddwl?

IFANS: Meddwl *be'* ydach chi'n'i feddwl ydw i.

MERCH: A be' ydi hynny?

IFANS: Meddwl ych bod chi'n meddwl 'mod i'n ddiddorol i chi mewn ffordd . . . mewn ffordd bersonol felly. Dyna ydw i'n 'i feddwl dach chi'n 'i feddwl.

MERCH: Mae fy niddordeb i bob amser yn un personol. Oes gynnoch chi wrthwynebiad?

IFANS: Oes. Hynny ydi . . . Wel, mae peth fel hyn yn . . . yn . . .

MERCH: Yn be', Mr Ifans?

IFANS: Wel, yn . . . wel, yn beth anghyffredin iawn.

MERCH: Ond nid annymunol. Yn y bôn rydach chi fel pob dyn arall.

IFANS: Clywch, *miss*, dwi ddim yn gyfarwydd â . . .

MERCH: Nac ydach, mae'n amlwg. Ond peidiwch â gofidio, fe ddown i nabod ein gilydd yn fuan iawn. Dwi ddim yn cael llawer o groeso gynnoch chi.

IFANS (*yn rhyw dwtio mymryn arno'i hun*): Maddeuwch i mi. Pe gwyddwn i eich bod chi'n dod . . . mi faswn wedi paratoi ar eich cyfer chi. Dwi ddim wedi cael ymwelwyr . . . yn enwedig rhywun fel chi. (*Mae'n clirio lle iddi ar focs*) Eisteddwch. Gwnewch ych hun yn gartrefol. (*Mae hi'n eistedd, a sylla Ifans ar ei choesau*)

MERCH: Oes rhywbeth o'i le?

IFANS: O'i le? O, nac oes, nac oes. Dim ond—os ca' i fod mor hy â dweud—mae'n neis gweld coesa go iawn. Dwi'n gweld digon o goesa, cofiwch . . . coesa doliau. Bob maint a siâp. Ond dydyn nhw ddim fel 'na. Mae'r rheina'n ddelach.

MERCH: A beth amdana i? Ydw i ddim yn fwy deniadol na'ch doliau chi?

IFANS: Mae 'na rywbeth o'i le ar bob un o'r rheina. Does 'na ddim byd o'i le arnoch chi.

MERCH: Mi gaf aros, felly?

IFANS: Aros yma? Ydach chi o ddifri?

MERCH: Fydda i byth yn gwamalu, Mr Ifans.

IFANS: Am faint?

MERCH: Am faint?

IFANS: Awr? Diwrnod? Wythnos? Mis?

MERCH: Y peth pwysig yw y bydda i gyda chi o hyn ymlaen, drwy'r dydd a'r nos.

IFANS: Dydd a . . . a nos?

MERCH: Dyna dd'wedais i.

IFANS: Gobeithio na wna i eich siomi chi.

MERCH: Wnewch chi ddim. Cofiwch, fi ddaeth atoch chi.

IFANS: Ia, ia, wrh gwrs.

MERCH: Mae croeso i mi, felly?

IFANS: Croeso? Croeso? Wrth gwrs bod yna groeso i chi. Ddigwyddodd peth fel hyn erioed o'r blaen i mi. (*Mae'n awr yn gweld y teleffon ac yn cofio am y Giaffar*) Miss, chewch chi ddim aros yma. Fasa'r Giaffar ddim yn leicio. Ac ma'n rhaid i mi gadw'i reola o. Rhaid i chi fynd, nawr, ar unwaith.

MERCH: Peidiwch â chynhyrfu, Mr Ifans.

IFANS: Nid cynhyrfu yr ydw i. Wedi cael nerth, nerth i wrthsefyll temtasiwn.

MERCH: Pwy oedd yn eich temtio chi?

IFANS: Pwy oedd yn . . ? Wel, chi, chi, neb arall, chi. Ydach chi'n meddwl mai twpsyn ydw i? Rydw i'n deall tricia rhai fel chi'n iawn. Fy arwain i i brofedigaeth wnaech chi. Yntê? Yntê?

MERCH: Rwy'n gofyn eto. Pwy oedd yn eich temtio?

IFANS: O, chware gêm rŵan, aiê? O'r gora, fedrwch chi drympio hyn? Os ydi merch ifanc ddeniadol yn cynnig cysgu efo un fel fi, be' arall fasach chi'n galw peth felly?

MERCH (*Mae'n gwbwl hunanfeddianol ar waethaf cynnwrf Ifans*): Gwendid.

IFANS: Gwendid? O, am beidio derbyn, debyg.

MERCH: Am beidio gwrthod y syniad ar unwaith. Os gŵel dyn demtasiwn mewn sefyllfa, adlewyrchiad arno fo yw hynny.

IFANS: Be'? Be'? Chi ddaru gynnig . . .

MERCH: Cysgu efo chi?

IFANS: Ia.

MERCH: Pa bryd?

IFANS: Gynna.

MERCH: Naddo.

IFANS: Do! mi glywais i chi â'm clustiau fy hun.

MERCH: Fydde neb yn disgwyl i chi glywed gyda chlustiau neb arall, Mr Ifans.

IFANS: Ohô! Ohô! Gwneud sbort am 'y mhen i, aiê? Reit! mi'ch riportia i chi. Dyna be' wna i. Ych riportio chi. (*Mae'n croesi at y teleffon*)

MERCH: A chydnabod, wrth gwrs, ych bod chi wedi creu temtasiwn lle nad oedd un.

IFANS: Ond mi glywais chi â'm clustiau . . . Mi'ch clywais chi.

MERCH: Yn dweud y byddwn i gyda chi drwy'r dydd.

IFANS: A'r nos. Cofiwch hynny. A'r nos!

MERCH: Drwy'r dydd a'r nos. A dyna 'wy'n 'i olygu, Mr Ifans. Fel y pethau rydach chi'n hoff ohonyn nhw, a'r pethau rydach chi'n 'u casáu. Fel y pethau rydach chi'n 'u hofni, a'r pethau rydach chi'n 'u caru. Y pethau sydd efo chi ddydd a nos na fedrwch chi mo'u cyffwrdd nhw na'u gyrru i ffwrdd. Dyna'r cyfan ddywedais i. Chi'ch hun greodd y gweddill.

IFANS (*yn tybio bod rhywbeth o'i le arni*): O, ia, wela i, Wela i. Dwi'n deall. O ble daethoch chi? Mae'n siŵr 'u bod nhw'n chwilio amdanoch chi. Well ichi fynd nawr. Dowch, mi ddof gyda chi at y drws. (*Cyfyd hithau a mynd at ddrws y storws*) Fedrwch chi ddim mynd allan ffordd 'na. Drws y storws ydi hwnna. (*Egyr hi'r drws a mynd i mewn*) Mae hi'n dywyll yna. Fedrwch chi weld dim bron. Pam na wrandwech chi arna i, dyma'r unig ffordd allan. (*Daw'r ferch yn ôl*)

MERCH: Pryd buoch chi yn y storws ddiwethaf, Mr Ifans?

IFANS: Mi fydda i'n mynd yna reit amal.

MERCH: Fyddwch chi? Be' sydd yna i gyd?

IFANS: Wel . . . y . . . pob math o bethau—am wn i. Sut gwn i be' sydd 'na i gyd?

MERCH: Na wyddoch, wrth gwrs. Mae hynny'n ddigon dealladwy gan fod popeth ar draws 'i gilydd, a llwch dros y cwbwl. Ac mae hynny'n beth rhyfedd, a chitha'n mynd yna'n reit aml.

IFANS: Chredwch chi byth mor sydyn mae llwch yn disgyn ffordd yma. Fel cawod o eira weithia. 'Taswn i'n tisian yn fan'na, mi faswn fel dyn du mewn chwinciad.

MERCH: Neu ddyn eira, Mr Ifans.

IFANS: *Miss.* Rhaid ichi fynd. Beth petai rhywun yn gwybod ych bod chi yma? Meddyliwch amdana i. Mi fydde stori fel hon yn fêl i'w dant nhw. Ifans Doliau a'i drowsus i lawr. Dyna fel y bydda'r stori cyn i chi droi.

MERCH: Mae'ch parchusrwydd chi'n gwbl ddiogel, credwch fi. Rwy'n aros.

IFANS: Dydi o ddim yn fy natur i i wylltio. Ond dyna wna i. Dyna wna i os nad ewch chi. Does gynnoch chi ddim math o hawl i fod yma. Lle preifat ydi hwn. Edrychwch, mi profa i o i chi. (*Mae'n agor y drws*) Dyna fo. P R E I F A T. (*Yn darllen y gair ar y drws*) Ystyr hynny ydi—cadwch allan. Dowch. Allan â chi.

MERCH: Mae 'na dipyn o waith twtio yma.

IFANS: Fy musnes i ydi cyflwr y gweithdy 'ma. A does yr un hoeden benchwiban yn mynd i chwilio beia'i gwell. (*Cyfyd y ferch goes doli o ganol sbwriel*)

MERCH: Pwy biau hon, tybed?

IFANS: Be' sy gynnoch chi? Dowch i mi weld. Coes arall Sera Jên. Tric eto. Gynnoch chi roedd hi drwy'r amser.

MERCH: Go brin, Mr Ifans . . .

IFANS: A finna'n gwastraffu amser . . .

MERCH: Newydd gyrraedd ydw i . . .

IFANS: Yn chwilio amdani ymhob man . . .

MERCH: Roedd hi yma drwy'r amser.

IFANS: Fel 'tai gen i ddim digon i'w wneud . . .

MERCH: Arnach chi roedd y bai . . .

IFANS: Heb orfod chwilio am betha . . .

MERCH: Yn ei cholli hi yn y lle cynta. Arnach chi roedd y bai, Mr Ifans. Yntê? Neb arall. Chi, Mr Ifans.

IFANS: Mi faswn wedi dod o hyd iddi fy hun, cofiwch. Chi . . . ia, dyna fo—chi, chi styrbiodd fi.

MERCH (*yn codi tedi*): O, dyma gariad bach. Roedd gen i un 'run fath yn union â hwn ers talwm.

IFANS (*yn gwneud osgo i gymryd y tedi oddi arni*): Dach chi ddim i fod i gyffwrdd dim.

MERCH: 'Run ffunud â Charadog.

IFANS: Caradog?

MERCH: Un llygad oedd ganddo ynta hefyd. Mi wniais fotwm yn lle'r un coll. Roedd o'n ddigri hefo un llygad mawr ac un llygad bach.

IFANS (*yn cipio'r tedi*): Dach chi ddim i afael yn y petha.

MERCH: Wna i ddim niwed iddyn nhw.

IFANS: Dwi ddim yn dweud, ond dyna'r rheol.

MERCH: Roedd gen i daid 'run fath â chi.

IFANS: Y?

MERCH: Taid.

IFANS: O.

MERCH: Yn debyg iawn i chi. Fyddwch chi'n dweud stori?

IFANS: Stori?

MERCH: Wrth blant bach . . . wyres fach, efallai, cyn iddi gysgu . . . dim ond 'i thrwyn hi'n sbecian allan dros ymyl y dillad, a'i llygaid hi'n fawr o ryfeddod, a Charadog yn cael ei wasgu'n dynn yn ei chesail.

IFANS: Fuo gen i 'rioed blant . . . dim amser . . . hynny ydi, dim amser i briodi . . . rhy brysur fan hyn . . . rhywbeth i'w wneud o hyd.

MERCH: Druan â chi. Ac mae gynnoch chi wyneb mor garedig, mor garedig ag un taid.

IFANS (*wedi ei blesio*): Wel . . . wn i ddim am hynny.

MERCH: Allai neb creulon fod yn saer doliau.

IFANS (*yn edrych o'i gwmpas ar y doliau*): Na, na. Rydach chi'n iawn. Mae rhaid edrych arnyn nhw fel plant . . . fel . . . plant diniwed . . . a . . . a . . .

MERCH: Ac edrych ar 'u hola nhw.

IFANS: O ia, fel plant.

MERCH: Dod i'w nabod nhw bob un.

IFANS: Pwysig iawn. Eu nabod nhw.

MERCH: A pheidio'u cam-drin nhw.

IFANS: Ia, peidio'u cam-drin nhw.

MERCH: Na'u taflu nhw i'r sbwriel.

IFANS: Na'u taflu nhw i'r . . . Y?

MERCH (*yn rhoi ei llaw yn y bocs a thynnu goliwog allan*): A bod yn ofalus o bob un, yntê, a'u cadw nhw rhag niwed.

IFANS: Ia . . . wel . . . dwn i ddim sut aeth hwnna i . . . Mae'n debyg mai . . .

MERCH: Sambo!

IFANS: Sut?

MERCH: Ai dyna'i enw?

IFANS: Be' wn i?

MERCH: Biti, mae hwn wedi colli'i ddau lygad.

IFANS: Wrthi'n 'i drwsio oeddwn i. Mae'n rhaid 'i fod o wedi llithro oddi ar y fainc.

MERCH: Mae rhywbeth yn hoffus mewn doli ddu. On'd oes?

IFANS (*yn cipio'r goliwog a'i roi ar y fainc*): Maen nhw'n ôl-reit.

MERCH: Ydach chi'n hoff o ddoliau duon?

IFANS: Ylwch, *miss*, rydach chi'n fy nghadw i oddi wrth fy ngwaith. Os gwelwch chi'n dda, fyddwch chi mor garedig â gadael nawr.

MERCH (*fel pe'n cychwyn. Erys*): Mi gymer amser hir i gael trefn ar y lle.

IFANS: Fi pia'r lle 'ma, cofiwch chi hynny.

MERCH: Ers pryd?

IFANS: Ers pryd be'?

MERCH: Y piau chi'r lle.

IFANS: Ers . . . wel . . . ers . . . pan roddwyd 'Preifat' ar y drws 'na. Dyna i chi ers pryd.

MERCH: A chi ydi'r meistr felly.

IFANS: Wrth gwrs. Wrth gwrs.

MERCH: A finna'n meddwl mai rhywun arall oedd o.

IFANS: O, dyna egluro petha. Wedi dod i'r lle rong ydach chi . . . rhywle arall ydach chi eisio . . . nid fan'ma. Fi piau fan'ma.

MERCH: Gyda phwy oeddech chi'n siarad ar y ffôn gynnau?

IFANS: Dydi hynny ddim o'ch busnes chi.

MERCH: Ac mi ddaru chi gyfeirio ato fo wedyn . . . Y Giaffar, dyna oeddech chi'n ei alw, yntê?

IFANS: Gwrandwch, *miss* . . .

MERCH: O, mi faswn i'n hoffi mynd â'r doliau 'ma i gyd efo mi. Fe rown i enw ar bob un ohonyn nhw. Sali, Siani, Eleri, Olwen, Ann, Babs, Gwyneth, Myfanwy, Jini, Meleri, Elin, Catrin . . .

IFANS: Sut gwyddoch chi? Sut gwyddoch chi 'u henwau nhw?

MERCH: A dacw Sera Jên.

IFANS: Ond sut gwyddoch chi'r enwau?

MERCH: Edrychwch arni. Fydda'r un enw arall yn addas iddi hi. Mae ganddi wyneb Sera Jên, dŷch chi ddim yn meddwl? Sera Jên yw hi o'i chorun i'w *hun* sawdl.

IFANS: Mynd i osod y goes arall oeddwn i.

MERCH: Y goes ddaru chi golli.

IFANS: Ie. Nage! Y goes yr oeddwn i'n methu dod o hyd iddi.

MERCH: Un enw sydd ar gyfer pawb, yntê? Mae rhai'n ddigon ffodus i gael yr enw iawn o'r dechra. A'r lleill yn gorfod cario enw anaddas ar hyd eu hoes. Ydach chi'n meddwl bod Ifans yn eich siwtio chi, Ifans?

IFANS: Arhoswch chi funud. Arhoswch chi. Dyna'r oeddwn i wedi meddwl 'i ofyn i chi gynna. Sut gwyddech chi f'enw i? Pwy ddeudodd wrthach chi.

MERCH (*yn archwilio'r ddol*): Dichon mai'r Giaffar dd'wedodd.

IFANS (*mewn dychryn*): Y Giaffar?

MERCH: Wyddech chi fod 'na grac yn y ben-glin 'ma?

IFANS: Ydach . . . ydach chi'n nabod y Giaffar.

MERCH: Mi fydd eisiau gofal gyda hon.

IFANS: Y Giaffar sy wedi'ch anfon chi felly?

MERCH (*yn cerdded o gwmpas*): Pryd cafodd y llawr 'ma ei sgubo ddiwethaf?

IFANS: Ddoe . . . y . . . echdoe . . . wel, yr wythnos ddiwethaf, beth bynnag.

MERCH: Ble mae'r brwsh?

IFANS (*fel pe bai'n ansicr, yn rhedeg i chwilio*): Y brwsh. Y brwsh . . . 'Rhoswch chi . . . (*Daw o hyd iddo*) Dyma fo. (*Cyfyd ef i edrych ar ei ben. Mae wedi hen wisgo.*)

MERCH: Pam na fasech chi wedi cael un newydd?

IFANS: Wel . . . wel . . . chi'n gweld . . .

MERCH: Dim amser debyg.

IFANS: Dd'ywedodd y Giaffar ddim byd . . . hynny ydi, pan oeddwn i'n siarad ar y . . . chefais i ddim rhybudd eich bod chi'n dod, neu mi faswn wedi . . . hynny ydi . . .

MERCH: Mi ofala i am un newydd.

IFANS: O. Reit. Diolch. Fuoch chi'n siarad efo fo? Gawsoch chi air efo fo'i hun?

MERCH: Dewch yma.

IFANS: Y?

MERCH: Dewch yma. (*Mae'n croesi ati yn araf. Gwthia hithau ef ar ei liniau.*) Mae yna farc ar eich talcen chi. (*Cymer hances a pharatoi i'w lanhau*)

IFANS (*yn tynnu'n ôl*): Sdim angen . . .

MERCH (*yn sychu ei dalcen yn addfwyn*): Dyna ni. Llwch. Mae o wedi mynd nawr.

IFANS: O . . . diolch. (*Cais godi ond deil y ferch ef i lawr*)

MERCH: Ydych, yn debyg iawn i Taid. (*Mae'n tynnu ei bys ar hyd ei drwyn.*) 'Run siâp trwyn. (*Saif Ifans yn hurt*) 'Run clustiau. 'Run tro yn yr ên. Wyneb, addfwyn caredig. Fedra i ddim deall pam na chawsoch chi wraig.

IFANS (*yn ei ddatgysylltu ei hun yn ffwndrus*): Ia, wel . . . gormod o gyfrifoldeb. (*Mae'n mynd at y fainc fel petai am weithio*)

MERCH: Ga' i fod yn ffrind i chi?

IFANS: Ffrind?

MERCH: Mi fydde'n ddiflas i ni fod yn elynion cyn dechrau.

IFANS: Dechrau be'? Clywch, ma' gen i bob hawl i'ch gorchymyn chi o'r gweithdy 'ma.

MERCH: Rhag ofn 'mod i wedi camddeall, mi wna i'n siŵr.

IFANS: Yn siŵr o be'?

MERCH: O'ch hawlia chi. O bwy yw'r meistr. Esgusodwch fi. (*Mae'n croesi at y ffôn a gwneud osgo i'w godi*)

IFANS (*yn ei hatal*): Hei, gan bwyll, *miss*. Gan bwyll. Dd'wedais i ddim mai fi oedd meistr y lle, naddo.

MERCH: Rydych chi'n siarad fel petaech chi'n meddwl hynny.

IFANS: Dim o gwbwl. Dim o gwbwl. Efallai i mi ddweud mai fi piau'r lle, falle hynny. Ond dd'wedais i ddim mai fi oedd y meistr.

MERCH: Beth yw'r gwahaniaeth?

IFANS: Wel, mae 'na wahaniaeth rhwng perchennog a meistr, on'd does?

MERCH: Oes 'na?

IFANS: Hynny ydi . . . beth dwi'n ceisio'i ddweud ydi . . . fi piau'r lle . . . ond . . . ond bod y Giaffar wedi bod wrth y llyw fel 'tai. A ni sydd

wedi cael yr elw i gyd, bob dima. Mae o'n ddigon bodlon ar hynny . . .
Doedd o ddim yn cwyno am y trefniadau oedd o? Nac oedd, wrth
gwrs, fasa fo byth yn edliw'r tipyn arian dwi'n 'i gael. Mae o
uwchben 'i ddigon fel y gwyddoch chi, ond 'i fod o'n cael pleser
wrth edrych ar ôl petha. Trefnu petha ydi'i hobi fo. A threfnydd da
ydi o hefyd.

MERCH: Fasa neb yn dweud hynny wrth edrych ar y lle yma.

IFANS: Ia, wel, efalla fy mod i wedi bod tipyn bach yn aflêr. Ond un fel
'na ydw i.

MERCH: Beth am yr offer? Ydyn nhw mewn cyflwr da?

IFANS: O, mae'r tŵls yn union fel y cawson ni nhw yn y dechra . . . ar
wahân i ryw ddau neu dri sy wedi cael eu lladrata.

MERCH: Gan bwy?

IFANS: Ganddo fo.

MERCH: Pwy fe?

IFANS: Sh! (*yn pwyntio at ddrws y seler*) Wyddoch chi, fe sydd yn y
seler 'na.

MERCH: O, mae 'na rywun gyda chi, felly?

IFANS: Peidiwch â 'nghysylltu i efo hwnna beth bynnag wnewch chi.
Does a wnelo fi ddim â fo. Ond 'i fod o'n aflonyddu arna i a phrowla
o gwmpas y lle fel gwynt. Dwgyd petha, a malu gêr a ballu. (*Mae'n
atal ei eiriau gan syllu'n amheus arni*) Dd'wedodd y Giaffar ddim
wrthach chi? Naddo, mae'n amlwg. A finna wedi riportio'r peth bob
tro. Dwi ddim yn deall y Giaffar o gwbwl . . . Wn i, wn i. Dydan ni
ddim yn sôn am yr un Giaffar. (*Yn obeithiol*) Dydw i'n dweud o'r
dechra, wedi dod i'r lle rong ydach chi, wedi camgymryd.

MERCH: Chi ydi Ifans, yntê?

IFANS: 'Taech chi'n 'u cyfri nhw, mae 'na ddega, miloedd o Ifansus yn y
byd. Enw cyffredin iawn.

MERCH: Ond dim ond un Effraim Cadwaladr Ifans.

IFANS (*a'i siom yn amlwg*): Dim ond meddwl oeddwn i.

MERCH: Mae'n well i ni ddechrau felly.

IFANS: Dechrau be'?

MERCH: Gwneud archwiliad manwl o bob twll a chongl, Effraim
Cadwaladr Ifans. Gwneud cyfri o bopeth. Cymryd stoc, os leciwch
chi.

IFANS: Cymryd . . . cymryd stoc?

MERCH: Mynd drwy'r lle gyda chrib mân. (*Saif Ifans fel petai wedi ei
syfrdanu*)

RHAN 2

PROTEST

Amser: Y noson honno

Mae'r gweithdy'n dywyll. Egyr y drws a daw Ifans i mewn gyda hen lusern gannwyll hen ffasiwn, yn ei law. Â at ddrws y seler i sicrhau ei fod ar glo, a rhydd ei glust ar y pren i wrando. Llusga stôl neu gadair at y teleffon, tyn ei gap ac eistedd gan syllu'n bryderus arno. Gwelwn ei wefusau'n symud fel petai'n ymarfer yr hyn mae am ei ddweud. Ar ôl oedi, pryd mae'n gwneud osgo i gydio yn y teleffon fwy nag unwaith, mae o'r diwedd yn ei godi'n ofnus.

IFANS (*yn ofnus i ddechrau, ond yn cryfhau wrth fynd ymlaen*): Helô . . . Helô . . . Giaffar? Ydach chi yna? . . . Ifans sydd 'ma . . . Ifans. Mae'n ddrwg iawn gen i'ch styrbio chi mor hwyr, ond digwydd dod yn ôl i'r gweithdy wnes i . . . methu cofio oeddwn i wedi poeri dach chi'n gweld—Wedi poeri ar yr allwedd ai peidio . . . ac mi ddois yn ôl rhag ofn nad oeddwn i ddim wedi cloi . . . a meddwl efalla gallwn i gael sgwrs bach efo chi . . . hynny yw . . . gan fod y drws wedi cael 'i gloi wedi'r cwbwl, ne' mi faswn wedi cael siwrna seithug, yn baswn? Felly, dyma fi'n meddwl, a deud wrtha fy hun, mi ga' i sgwrs bach efo'r Giaffar, medda fi, fel'na, gan i fod o, chware teg iddo fo, yn barod i wrando arna i bob amser, medda fi fel'na . . . ac felly dyma fi. Gobeithio nad oeddach chi ddim wedi mynd i'r gwely na dim felly. Hen beth cas ydi deffro rhywun o drwmgwsg. P'run bynnag, y . . . mae hi wedi bod yn ddiwrnod reit dda yn y gweithdy heddiw. Lot o waith wedi'i wneud, a dim golwg ohono fo drwy'r dydd. Cofiwch chi, mae'r gwaith yn dipyn o faich i un i'w gario . . . ydi, wir, yn dipyn o faich. Dwi ddim yn cwyno, cofiwch, dim o gwbl, dim ond deud 'i fod o'n dipyn o faich. Hynny ydi, dim ond un pâr o lygaid sydd gen i, a dim ond un pâr o ddwylo hefyd, 'tai hi'n mynd i hynny. Dwi'n gobeithio nad ydach chi'n meddwl 'mod i'n rhy hyf arnoch chi wrth siarad fel hyn, ond mi fydda i'n hoffi siarad o'r frest yn blwmp ac yn blaen, fel daw hi 'ntê? A pheth arall, dydw i ddim mor ifanc ag yr oeddwn i, chwaith, o nac ydw. Ac nid pawb yn f'oed i fasa'n rhoi cymaint o oria i'r gwaith, a hynny heb ofyn am ddime goch y delyn o ofar teim. Glywsoch chi fi'n gofyn am deim and e hâff ne' dybl teim rywdro? Ac nid pawb fasa'n fodlon bod wrthi ar y Sul

Saer Doliau .

fel rydw i, heb sôn am weithio heb ofar teim. Mae 'na le i ddiolch, on' does, Giaffar, nad ydw i ddim fel rhai dwi'n 'u nabod. Daliwch y lein am funud. (*Mae'n mynd at ddrws y seler i wrando. Yna dychwel at y teleffon.*) Ydach chi yna? Meddwl 'mod i'n clywed sŵn. Ia, deud oeddwn i nad ydw i ddim yn cwyno, dim ond dwyn ych sylw chi at y ffaith 'i bod hi'n oer felltigedig yn y gweithdy 'ma. Mi fydd fy mysedd i'n ddu-las weithia. Mae 'na ffasiwn beth â *Factory Act* 'tawn i eisiau bod yn ocward felly. O na, dydi petha ddim fel gallan nhw fod o bell ffordd . . . ac mi ddylech chi fod wedi cymryd petha fel'na i ystyriaeth cyn anfon y ferch 'na i fusnesa o gwmpas y lle, a finna wedi bod yn gweithio fel nigar ers blynyddoedd, a 'nhad a 'nhaid o 'mlaen i. Be' fasan nhw'n 'i ddweud, tybed? Mae gan bawb 'i deimlad, cofiwch. Cymryd stoc, medda hi, fel 'tai hi piau'r lle. Mi dd'weda i gymaint â hyn. Roeddwn i'n teimlo i'r byw. A dyna pam, Giaffar, fod yn rhaid i mi brotestio. Protestio, Giaffar. (*Daw sŵn o gyfeiriad y storfa. Mae Ifans yn gollwng y ffôn.*) Hei, pwy sy 'na? Dwi'n gwbod fod 'na rywun. (*Ymbalfala am erfyn i'w amddiffyn ei hun. Cyfyd fwyell.*) Mae gen i fwyell yn fan hyn i ti gael gwbod . . . bwyell . . . Glywaist ti? (*Saib*) Tyrd ymlaen 'ta, dangos dy hun . . . does gen i ddim gronyn o dy ofn di. (*Clec arall, sy'n peri i Ifans neidio'n ôl*) Arnat ti fydd y bai os brifa i di . . . Dwi'n barod amdanat ti. (*Mae'n symud yn araf at y drws allanol*) Felly . . . felly, paid ti â meddwl y gwnei di feistr arna i â chware bach . . . Dwi wedi setlo petha mwy na chdi cyn heddiw. Does gen i ddim mymryn o dy ofn di, dealla di. (*Fel mae'n cyrraedd y drws, mae'n diflannu drwyddo heb wneud unrhyw ymdrech i'w gau. Deil y lantern i gynnau fel y daw'r llenni i lawr.*)

RHAN 3

ARCHWILIAD

Amser: Y bore wedyn

Pan gyfyd y llen, mae'r ferch yn cyfrif rhywbeth sydd ar y silffoedd cefn ac yn gwneud nodiadau mewn llyfr bach. Mae'n gwisgo sbectol yn awr, ac wedi clymu ei gwallt yn ôl. Ymddengys yn llawer mwy militaraidd na'r ferch a welsom yn Rhan 1. Ar ôl ysbaid, egyr y drws allanol yn araf, a daw pen Ifans i'r golwg. Gan fod y drws agored rhyngddo ef a'r ferch, nid yw yn ei gweld. Dechreua gamu'n ddistaw tua'r ystorfa ond, fel mae'n gwneud hyn, caea'r ferch y drws allanol gyda chlep.

IFANS (*yn neidio mewn dychryn*): O . . . o, chi sy na . . . roeddwn i'n meddwl . . . dach chi yma o hyd, felly . . .?

MERCH: Oeddech chi'n gobeithio na fyddwn i ddim?

IFANS: Bobol annwyl, dim o'r fath beth . . . Na, dim o gwbwl . . . Dim o gwbwl.

MERCH: Ai dyma pryd y byddwch chi'n cyrraedd bob bore?

IFANS: O na . . . na, *miss* . . . na . . . dyna be' o'n i'n mynd i'w ddweud wrthach chi nawr . . . y niwl 'na sy, dach chi'n gweld . . . welwn i ddim pellach na blaen 'y nhrwyn . . . ac ma' hi mor beryg yn y stryd 'na fel . . .

MERCH: Mae'r niwl 'run fath i bawb, Ifans . . . Mae'n agos i un ar ddeg, a'r gwaith i fod i ddechrau am wyth.

IFANS: Dyna pryd y bydda i'n arfer dŵad hefyd pan . . . pan . . .

MERCH: Pan na bydd niwl na glaw na gwynt.

IFANS: Dyna'r union beth o'n i'n mynd i'w ddweud . . .

MERCH: Ond, wrth gwrs, mi fyddwch chi'n gwneud iawn am yr amser yn y nos, yn byddwch?

IFANS: Be' . . . be' dach chi'n 'i feddwl, os ca' i fod mor hy â gofyn?

MERCH: Gweithio'n hwyr yn y nos, Ifans—*Over Time!*—a hynny heb ddima goch y delyn o gydnabyddiaeth.

IFANS (*ar ôl saib hir o edrych yn amheus arni*): Wel, ia . . . Be' sy o'i le yn hynny? Mi fydda i'n gweithio'n amal yn . . . yn yr hwyr . . . Does dim byd o'i le yn hynny, nac oes?

MERCH: A'r lle mor oer a phopeth! Ych bysedd chi'n mynd yn ddu-las 'rwy'n siŵr. A dych chi ddim mor ifanc ag oeddech chi.

IFANS (*yn codi ei lais ychydig*): Ylwch . . . ylwch yma, *miss*, wn i ddim be' dach chi'n drio'i ddweud, ond mi ddeuda i hyn wrthach chi . . .

MERCH: Reit! Dyna ddigon o'r mân siarad yma . . . mae gwaith i'w wneud. (*Mae'n pwyntio at ddau focs anferth mewn congol o'r gweithdy*) Be' ydi'r rhain fan hyn?

IFANS (*Ifans yn ei dilyn*): Gwrandwch am funud, *miss* . . . be' oeddach chi'n 'i feddwl nawr pan dd'wedsoch chi . . .

MERCH: Ma'n nhw ar y ffordd fan hyn . . . be' sydd ynddyn nhw?

IFANS: *Hold on* am funud bach, dwi isio cael hyn yn hollol glir cyn mynd gam pellach . . . pwy ddywedodd wrtha chi 'i bod hi'n oer yma a phetha felly . . . a . . . a 'mod i'n meddwl bod y gwaith yn . . .

MERCH: Ydych chi ddim yn teimlo'r lle'n oer, ynte?

IFANS: Wel . . . wel, ydi . . . ydi, ma' hi'n oer . . . ond meddwl o'n i mai chi oedd yn . . .

MERCH: Ond nid rhy oer i chi dynnu'ch côt a dechra gweithio, gobeithio!

IFANS: Y?

MERCH: Tynnwch ych côt a gwnewch dipyn o waith. (*Mae Ifans yn tynnu ei got yn araf a'i hongian ar yr hoelen heb ddweud dim ond edrych yn amheus ar y ferch*)

MERCH (*yn cerdded at y ddau focs*): Mae'n debyg y bydd rhaid i mi ddarganfod drosto fy hun be' sy yn y ddau focs 'ma?

IFANS: Siafins!

MERCH: Be' dd'wedsoch chi?

IFANS: Siafins, *miss* . . . dipyn o siafins . . . dyna i gyd.

MERCH (*yn cerdded at un o'r bocsys ac agor y caead*): Llawn i'r ymylon. I beth yn enw rheswm ydych chi'n cadw rhyw sbwriel fel hyn?

IFANS: Glaw, *miss* . . . wedi bod yn glawio'n drwm, dach chi'n gweld.

MERCH: Glaw?

IFANS: Pistyllo ers dyddia . . . roedd o'n dŵad i mewn dan y drws 'na ddoe. (*Pwyntio at y drws yn y mur cefn*) . . . dyna pam ma' 'na gymaint o fwd a baw ar y llawr 'ma . . . yma ac acw (*Mae'n edrych o gwmpas y llawr*) . . . wel . . . wel, mae o dros y llawr i gyd erbyn hyn . . . a fedrwch chi mo'i weld o.

MERCH: A beth sydd a wnelo'r glaw â'r siafins?

IFANS: Dyna be' dwi'n drio'i ddeud, *miss* . . . ma' . . . ma' hi wedi bod yn glawio'n ddi-stop ers . . . wel, ers . . . wythnosa . . . mi faswn i'n socian wrth gerdded rownd y bloc. Lot o ffordd, dach chi'n gweld. A fasa fy iechyd i ddim yn dal.

MERCH: Pa floc?

IFANS: Ma' rhaid mynd â'r siafins rownd y bloc i'r cefn i'w llosgi, dach chi'n gweld . . . sgin i ddim drws cefn . . . fuo gen i 'run rioed . . . a

ma' hi wedi bod yn glawio gormod i mi fynd â nhw. Ac erbyn
meddwl, fasan nhw ddim yn llosgi 'taswn i wedi mynd â nhw. Peth
gwael am dân ydi glaw.

MERCH: Oes gynnoch chi ddim bin i'w rhoi nhw?

IFANS: Dyna'r pwynt . . . mi oedd gen i un . . . o, oedd, reit tu allan i'r
drws 'na . . . un handi oedd o hefyd, gwerth ceiniog ne' ddwy. Nid
rhyw hen racsyn o rwbath, cofiwch . . . bin del, gwerth 'i weld.
Roedd hi'n bleser rhoi rybish ynddo fo. Ond mi gafodd 'i fachu.

MERCH (*ddim yn deall y term*): Bachu?

IFANS: Mi roddodd rhywun 'i bwmp arno . . . 'i ladrata fo! . . . a
rhyngoch chi a fi, ma' gen i syniad go lew pwy ddaru hefyd. (*Yn
mynd at y bocs a gafael ynddo*) Ond mi a' i â nhw rŵan tra mae'n
egwyl fach. Fydda i . . . ddim . . . chwinciad. (*Yn tuchan wrth godi'r
bocs*)

MERCH: Dwi bron â chredu bod y gwaith yma'n ormod o faich i chi,
Ifans.

IFANS (*yn dal i fustachu*): Wel . . . wel, ma' . . . ma' tipyn o waith i'w
wneud, cofiwch. O oes . . . ma' tipyn.

MERCH: A'i bod hi'n hen bryd i chi gael rhywun yma i'ch helpu chi!

IFANS (*yn gollwng y bocs mewn syndod*): I f'helpu i . . . be' dach chi'n 'i
feddwl? Ylwch yma, *miss* . . . dwi ddigon bodlon cydnabod bod y
gwaith yn drwm, ond wela i ddim bod isio . . . Diawch, mi faswn i'n
gallu lygio'r rhain ag un fraich ond bod yr hen darth bore 'ma wedi
ffeithio tipyn ar y fegin wrth i mi . . . Brensiach y bratia, ddynas, ma'
. . . ma' . . . ma'r gwaith yma'n waith delicét, wyddoch chi . . . nid
pawb fedar wneud gwaith fel hyn . . . ma' hi wedi cymryd oes gyfan i
mi ddysgu, a . . . a . . . fasa rhywun arall ddim ond yn gwneud stomp
o betha! Cawlio'r cwbwl i gyd.

MERCH (*yn cerdded i gefn y llwyfan ac yn edrych ar grŵp o ddoliau
carpiog, du sydd ar silff mewn un gornel*): Ydi'r doliau duon yna i fod
yn y gornel damp yna?

IFANS (*yn cerdded ar ei hôl*): A . . . a . . . a pheth arall, ma'r lle 'ma wedi
bod yn perthyn i'r teulu ers blynyddoedd—ers canrifoedd! Fedrwch
chi ddim caniatáu i ryw betha ifanc, dibrofiad, ymhèl â gwaith fel
hyn.

MERCH: Pam mae'r doliau duon acw yn y lle mwya tamp yn y gweithdy?

IFANS: Be'?

MERCH: Dach chi ddim yn gwrando ar un gair dwi'n 'i ddweud wrthach
chi, Ifans. Y doliau duon acw! Pam mae'r rheina wedi'u taflu i'r
gornel damp acw?

IFANS: Fan'na maen nhw wedi cael 'u cadw 'rioed . . . ond dydw i ddim isio gweld neb diarth yn dŵad dros riniog drws y gweithdy 'ma. Deallwch chi hynny unwaith ac am byth. Mae sens yn dweud na fasa neb arall yn gallu gwneud y gwaith cystal â fi.

(Clywir sŵn—fel darn o bren yn disgyn—yn dod o'r storfa)

IFANS *(yn troi ei ben yn sydyn at y drws arall—drws y seler)*: Be' oedd hwnna? *(Yn bagio'n ôl)*

MERCH: Chlywais i ddim byd!

IFANS: Dwi'n siŵr 'mod i wedi clywed sŵn yn dŵad o'r . . .

MERCH *(yn cerdded at ddrws y seler)*: Gyda llaw, Ifans, ble mae allwedd y drws yma?

IFANS *(yn dal i wrando gyda'i glust ar y drws erbyn hyn)*: Dwi'n berffaith siŵr 'mod i wedi clywed rhywbeth yn . . .

MERCH: Dwi'n gofyn cwestiwn i chi!

IFANS: Be'?

MERCH: Ble mae allwedd y drws yna?

IFANS: Does yna 'run!

MERCH: Be' dach chi'n 'i feddwl—does yna 'run?

IFANS: Chafodd . . . chafodd y lle 'rioed ei ddefnyddio a . . . a does neb yn gwybod ble mae'r allwedd.

MERCH: Mi fydd yn rhaid cael un newydd felly!

IFANS: I be' 'n eno'r dyn?

MERCH: Dwi wedi dweud wrthach chi o'r blaen—mae arna i eisiau gweld pob twll a chornel o'r lle 'ma.

IFANS: Ond 'randros Dafydd, dach chi ddim yn deall . . . hwnna ydi'r drws sy'n arwain i'r seler!

MERCH: Wel?

IFANS: Dach chi 'rioed am fynd i lawr i fan'na?

MERCH: Pam lai?

IFANS: Dd'wedodd o ddim wrthach chi?

MERCH: Pwy?

IFANS: Y Giaffar! Dd'wedodd o ddim wrthych chi nad oes neb i fynd i lawr i fan'na ar boen 'i fywyd . . .

MERCH: Neb ond chi, mae'n debyg!

IFANS: Fi? . . . fi? Dawn i ddim i lawr i fan'na am ffortiwn. Dach chi ddim yn deall petha fel hyn. Ond dwi'n dweud wrthach chi, cadw oddi 'na yw'r peth gora o ddigon hefyd.

MERCH: Pam?

IFANS: Pam? Wel, mae'r lle'n ddrwg ac aflan . . . dyna i chi pam . . . fe alla rhywbeth uffernol ddigwydd i chi fel . . . fel cael ych mygu i farwolaeth, neu'ch gwasgu o fodolaeth neu . . .

MERCH: Gan bwy?

IFANS: Sut?

MERCH: Gan bwy?

IFANS: Dyna'r pwynt . . . wyddon ni ddim . . . does neb yn gwybod. Diawch, peth rhyfadd na fasa'r Giaffar wedi sôn wrthach chi a ninnau wedi cael cymaint o helynt gydag o . . . Dwi wedi riportio'r peth bob tro.

MERCH: Ond fuoch chi 'rioed yna, meddach chi.

IFANS: Naddo, a dydw i ddim yn bwriadu mynd chwaith.

MERCH: Sut gwyddoch chi, ynte?

IFANS: Sut y gwn i be'?

MERCH: Fod 'na rwbath yn y seler 'na a chitha erioed wedi bod yna?

IFANS: Wel, y fo sy'n dŵad yma . . . yn prowla o gwmpas y gweithdy a . . . a . . .

MERCH: Fo?

IFANS: Y peth uffernol yna sy'n byw yn y seler.

MERCH: Rydych chi wedi'i weld o, felly?

IFANS: Fedrwch chi ddim . . . welwch chi ddim byd ond . . . ond 'i deimlo fo'n pwyso arnoch chi nes ych bod chi'n methu cael ych anadal . . . ac mae o'n lladrata petha. Tŵls a gêr . . . a . . . a chwalu'r doliau o gwmpas y lle nes maen nhw'n dolcia i gyd. Dyna be' dwi wedi bod yn drio'i ddeud wrthach chi.

MERCH: Gan ddisgwyl i mi eich credu chi. (*Mae'n croesi ac yn edrych ar y clo*)

IFANS: Mae o cyn wiried â 'mod i'n ddyn byw.

MERCH: A chafodd hwn erioed mo'i agor?

IFANS: Naddo.

MERCH: Does dim ôl rhwd arno fo chwaith.

IFANS: Y?

MERCH: Ryfedd na fasa'r clo 'ma wedi rhydu. Mae o'n berffaith lân!

IFANS: O . . . o . . . mi . . . mi fydda i'n 'i iro fo hefo tipyn o saim gŵydd bob hyn a hyn.

MERCH: I be'?

IFANS: Wel . . . wel, rhag ofn . . . wyddoch chi ddim pryd . . . fedrwch chi ddim dweud, yn na fedrwch.

MERCH: Chlywais i am neb o'r blaen yn iro clo segur.

IFANS: O, mae rhai . . . oes, oes mae rhai yn gwneud petha fel'na . . . hynny ydi . . . efalla . . . efalla y daw'r allwedd i'r golwg ryw ddiwrnod . . . ac . . . ac mi fydd y clo'n barod i . . . i . . . Yn bydd? Petai'r amhosibl yn digwydd, yntê.

MERCH: Dach chi'n dweud celwydd wrtha i, Ifans?

IFANS: Celwydd . . . be' dach chi'n feddwl, celwydd?

MERCH: Fe agorwyd y clo yna, a hynny'n ddiweddar—mi fedar unrhyw ffŵl weld hynny. Rŵan, ble ma'r allwedd?

IFANS: 'Tawn i'n marw'r funud 'ma, *miss*, welais i 'rioed allwedd i ffitio'r lle.

MERCH: O'r gora. Mi fydd rhaid torri'r drws i lawr.

IFANS: Dim diawl o beryg! Dach chi na neb arall i gyffwrdd ynddo fo. Ar boen ych bywyd. Dwi'n ych rhybuddio chi.

MERCH: Dach chi'n cuddio rhywbeth yna, Ifans?

IFANS: Dim byd o gwbwl . . . ond dydach chi ddim yn mynd i dorri'r drws yna i lawr, ichi fod yn deall . . . fi pia'r lle 'ma, ac ma'r drws 'na'n aros yn gyfa . . . fedra i ddim fforddio i falu drysa, na fedra.

MERCH: Mi fydd rhaid i mi riportio hyn.

IFANS: Gwnewch fel y mynnoch chi, ond mi fyddwch yn gwastraffu'ch amsar. Mae'r Giaffar yn gwybod yn barod!

MERCH: Bod yr allwedd ar goll?

IFANS: Bod y drws i'w gadw yn gaead am byth, dyna i chi be'.

MERCH: Am byth?

IFANS: Tra bydda i yma, beth bynnag. Fedra i ddim deall pam na soniodd o am y trwbwl dan ni wedi'i gael wrthach chi. Ma' beth bynnag sy yn y seler 'na'n rhoi mwy o drafferth i ni na gwerth y lle 'ma.

MERCH: Falla ma' fo oedd yma neithiwr felly!

IFANS (*ar ôl saib hir*): Be' dach chi'n 'i feddwl?

MERCH: Roedd 'na rywun yma, beth bynnag. (*Mae'n dechrau mynd ymlaen â'i gwaith*)

IFANS: Ylwch yma . . . sut ydach chi'n . . . pwy dd'wedodd . . . mi oeddach chi'n sbecian, felly . . . ro'n i'n ama'r peth gynna, o oeddwn . . . pan oeddech chi'n trio bod yn glyfar efo'ch *overtime* a bod y lle 'ma'n oer a . . .

MERCH: Mae digon o waith i'w wneud, Ifans. Dewch . . .

IFANS: Na, ddewch chi ddim ohoni fel'na chwaith . . . sut oeddach chi'n gwbod bod 'na rywun yma neithiwr os nad oeddach chi . . .

MERCH: Y drws!

IFANS: Y drws?

MERCH: Pan ddois i i'r gweithdy y bore 'ma am wyth o'r gloch roedd y drws yna'n llydan agored. (*Yn pwyntio at y drws allanol*)

IFANS: Dewadd! Dach chi ddim yn dweud!

MERCH: Led y pen! Ond mae gwaeth. Fe fu'r lamp yna yn olau drwy'r nos nes bod y gwydr yn chwilboeth. A'r holl siafins, a choed, a doliau o gwmpas. Ond dyna fo, wyddoch chi ddim byd am y peth—y fo . . . y Bwgan 'na fuo yma mae'n debyg.

IFANS: Yn hollol, dyna be' dwi wedi bod yn 'i ddeud o'r dechra . . . ac . . . mi gewch chi weld mwy o lawer o'i waith o cyn bo . . . *(Clywir gwaedd uchel yn dod o gyfeiriad y storfa)*

IFANS *(yn neidio mewn dychryn)*: Rachlod fawr! *(Daw llanc ifanc i mewn tan neidio ar un droed fel petai newydd anafu'r llall. Mae wedi'i wisgo yn 'fodern'.)*

IFANS: Be' ddiawch ydi hwn?

MERCH *(sy'n amlwg wedi ei weld o'r blaen)*: Beth yn y byd mawr wyt ti wedi'i wneud yn awr? *(Mae Ifans yn edrych ar y llanc fel petai'n ddrychiolaeth o'r byd arall)*

LLANC: Gollwng un o'r bocsys 'na ar 'y nhroed wnes i . . . dwi'n siŵr 'mod i wedi torri 'mawd . . . O! . . . O!

IFANS: Pwy . . . pwy . . .

MERCH *(wrth y llanc)*: Sa'n llonydd am funud i mi gael gweld faint o niwed wyt ti wedi'i gael. *(Mae'r llanc yn eistedd i lawr ac y mae'r ferch yn dechrau datod ei esgid)*

IFANS *(yn mentro ymlaen yn araf)*: O . . . o . . . o ble daeth hwn . . .?

MERCH *(wrth y llanc)*: Dal dy droed yn llonydd i mi gael tynnu'r esgid yma.

IFANS: O ble daeth hwn, wneith rhywun ddweud wrtha i?

MERCH: Oes rhaid cael cylymau fel hyn?

IFANS *(yn codi'i lais)*: Dach chi 'nghlwad i, ddynas . . . pwy gytrin ydi'r hogyn yma?

MERCH *(heb godi ei phen ac yn hollol ddidaro)*: Y prentis, Ifans. Hwn ydi'ch prentis chi.

RHAN 4

PRENTIS

Amser: Ychydig ddyddiau'n ddiweddarach

Pan gyfyd y llen mae'r llanc yn ffidlan gyda set dransistor. Â o donfedd i donfedd i chwilio am fiwsig i'w siwtio. Wedi ei gael, mae'n dechrau siglo'i gorff yn ôl a 'mlaen, a chlecian ei fys a'i fawd i'r rhythm. Ar ôl ysbaid o hyn, daw'r ferch i mewn trwy'r drws cefn.

MERCH: Nid i hyn y dois i â thi yma!

LLANC (*yn dal i siglo*): O . . . i be' 'ta? (*Yn ei thynnu i ddawnsio*)

MERCH (*yn cerdded heibio iddo a diffodd y transistor*): Ble mae Ifans?

LLANC: Wedi mynd â siafins rownd y bloc.

MERCH: Fe allet ti fod wedi gwneud hynny. (*Mae'n mynd i edrych am rywbeth ar y silffoedd*)

LLANC: Gallwn. (*Yn cerdded ati a sefyll y tu ôl iddi*) Disgwyl amdanoch chi oeddwn i, i gael sgwrs fach. Dim ond chi a fi.

MERCH (*yn troi i'w wynebu*): Mae digon o waith trefnu pethau yn y storfa 'na i dy gadw di'n brysur.

LLANC: Y sbectol yna!

MERCH: Be' amdani?

LLANC: Sgin i ddim byd yn erbyn sbectol, cofiwch . . . ond nid i chi . . . tynnwch hi i ffwrdd.

MERCH: Wyt ti'n colli arnat dy hun neu rywbeth?

LLANC: Fe allwn i, gydag chydig o gydweithrediad. (*Gafael yn ei dwy ysgwydd*)

MERCH (*yn taro ei ddwylo i lawr a cherdded heibio iddo*): Nid i hynna y dois i â thi yma, chwaith . . . gad i ni gael hynny'n berffaith glir.

LLANC (*yn chwerthin*): Be' sy'n bod? Ma' dipyn o hwyl yn iawn yn 'i le.

MERCH: Nid dyma'r lle . . .

LLANC: Rhywle arall, 'ta?

MERCH: Mae gen ti ddigon ar dy blât, gŵd boi . . . a dydi amser ddim yn mynd i aros yn 'i unfan i ti.

LLANC: Ond fe alla i orffen y gwaith unrhyw ddiwrnod dim ond i chi ddweud y gair . . . heddiw, os liciwch chi!

MERCH: Sgin ti ddim syniad, yn nac oes? Dyna'ch drwg chi . . . rhuthro fel cath i gythral . . . mi fydda i'n amau weithiau mai ti ydi'r un iawn. (*Sŵn yn y drws cefn. Daw Ifans i mewn tan stryffaglio hefo'r bocs siafins. Symuda'r ferch a'r llanc oddi wrth ei gilydd.*)

MERCH: Fe ddylai'r bin gyrraedd heddiw, Ifans.

IFANS: Bin?

MERCH: Bin newydd yn lle'r un gafodd ei ladrata. Fe ellir mynd â hwnnw rownd y bloc unwaith yr wythnos wedyn. (*Mae'n cychwyn at ddrws y storfa ond cyn iddi ddiflannu drwyddo mae'n troi at y llanc*) Ac fe gei di fod yn gyfrifol am hynny. (*Mynd i'r storfa*)

Mae Ifans yn ceisio mynd â'r bocs i'r gornel ond y mae'r llanc yn mynnu mynd ar ei ffordd yn bwrpasol. Nid yw Ifans yn dweud dim ond tuchan a rhoi pâr o lygaid iddo. Â Ifans y tu ôl i'w fainc a dechrau gweithio. Ymhen ychydig, daw'r llanc i sefyll y tu ôl i'r fainc wrth ei ochr. Gwelwn ef yn tynnu chewing gum allan o'i boced. Rowlia'r papur yn belen a'i daflu ar y fainc o flaen Ifans. Edrycha hwnnw arno gyda golwg sarrug ar ei wyneb a thaflu'r papur ar y llawr. Ar ôl ysbaid, gwelwn y llanc yn ymestyn ei law i gyrraedd rhywbeth sydd ar y fainc o flaen Ifans. Ymddengys Ifans fel petai wedi dod i ben ei dennyn a cheisia daro'r llawr gyda morthwyl neu rywbeth cyffelyb.

LLANC (*yn ymestyn ei law yn ôl mewn dychryn*): Be' gebyst sy arnoch chi, ddyn?

IFANS: Fi pia honna. (*Mae'n codi cyllell i fyny oddi ar y fainc*)

LLANC: Jest i chi waldio mys i'n slwts!

IFANS: Dyna be' o'n i'n drio'i wneud!

LLANC: Dim ond isio'i benthyg hi am funud bach i grafu'r . . .

IFANS: Pryna un dy hun, y gwallt cadi ffan!

LLANC: Hei, llai o hynna.

IFANS: Cadw dy ddwylo i ti dy hun, 'ta.

LLANC: 'Ngwallt i ydi o.

IFANS: 'Nhŵls i 'di'r rhain hefyd.

LLANC: Ond ma' rhaid i mi gael tŵls i weithio . . . dach chi'n disgwyl i mi iwsio 'nannedd?

IFANS: Gwna fel mynnot ti . . . ond cadw dy fysedd budur oddi ar fy mainc i.

LLANC: Pwy dach chi'n 'i alw'n fudur?

IFANS: Ti—dyna i ti pwy! Ti!

LLANC: Un da'n deud.

IFANS: Y?

LLANC: Rydw i'n lanach na chi, beth bynnag. Pryd cawsoch chi fath ddiwetha?

IFANS: Beth 'ti'n 'i feddwl?

LLANC: Dydw i ddim mor fudur â rhai. Dach chi'n ogleuo dros y lle.

IFANS (*yn araf tan gamu at y llanc*): Be' dd'wedaist ti'r cythral bach. (*Mae'n dal y gyllell saer yn fygythiol yn ei law*)

LLANC (*yn camu'n ôl*): Rhowch y gyllell yna i lawr, ddyn!

IFANS: Paid ti â meddwl y cei di siarad â fi fel . . . (*Mae'n baglu ar draws rhyw focs neu rywbeth cyffelyb nes mae ar ei hyd ar y llawr. Y llanc yn chwerthin yn ddistaw.*)

IFANS (*yn chwilio am y gyllell*): Paid ti â meddwl 'mod i . . . (*Mae'r llanc yn plygu i godi'r gyllell. Ond mae Ifans yn neidio amdani.*) Sa'n ôl, y corrach . . . (*Mae'n dechrau chwifio'r gyllell yn ofnus i gyfeiriad y llanc*)

LLANC: Rhowch y gyllell 'na i lawr yn enw popeth cyn i . . .

IFANS: Cyn be' . . . cyn be' . . . wyt ti'n meddwl na wna i . . . wyt ti'n meddwl 'mod i ofn i hiwsio hi ne' rwbath? (*Mae'n gwneud rhyw osgo ofnus i'w phwyntio at y llanc*)

LLANC (*yn neidio'n ôl gyda rhyw ffug ofn*): Dach chi'n mynd o'ch pwyll, deudwch? (*Mae rhyw wên ar ei wyneb fel petai'n mwynhau'r sefyllfa*)

IFANS: Tyn dy eiriau'n ôl, 'ta. (*Gall y ddau gylchu'r fainc—un o flaen y llall—yn ystod yr ymgom a ganlyn*)

LLANC: Pa eiriau?

IFANS: Bod . . . bod . . . 'na ogla arna i.

LLANC: Dewadd, tynnu'ch coes chi oeddwn i.

IFANS (*fel petai yn awyddus i ddŵad â'r ffars i ben, yn enwedig os yw ef yn mynd i ennill*): 'Ti'n tynnu dy eiriau'n ôl, 'ta?

LLANC: Ydw! Mi fuoch yn y bath neithiwr, a'r noson cynt, a'r noson cynt, a'r bore 'ma cyn dŵad.

IFANS (*yn aros yn ei unfan*): 'Ti'n lwcus, 'ngwas i . . . o, wyt . . . lwcus . . . mi ddeuda i hynny wrthat ti . . . lwcus iawn! (*Cawn ysbaid o dawelwch gyda'r ddau yn edrych ar ei gilydd*)

IFANS: Paid . . . paid ti â meddwl bod gen i d'ofn di.

LLANC: Reit!

IFANS: Be' ti'n 'i feddwl 'reit'?

LLANC: Na, dydw i ddim yn meddwl bod gynnoch chi f'ofn i!

IFANS: Dwi wedi byta petha mwy na thi i frecwast!

LLANC: Reit!

IFANS (*yn mynd yn ôl i'w ran ef o'r fainc*): Reit! (*Ysbaid eto o ddistawrwydd*)

LLANC: Dach chi am roi'r gyllall 'na i lawr, 'ta? (*Wrth weld Ifans yn dal i rythu arno hefo'r gyllell yn ei law*)

IFANS: Wyt ti'n cau dy hopran, 'ta!

LLANC: Ydw.

IFANS: Reit! (*Mae'n rhoi'r gyllell i lawr yn araf ar y fainc. Cyfyd hi eto a'i symud yn nes i'w ben ef o'r pren.*)

LLANC: Be' ga' i i grafu'r paent oddi ar wyneb y ddol 'ma, 'ta?

IFANS: Defnyddia dy 'winedd.

(*Mae'r llanc yn codi'r ddol i fyny ac yn dechrau crafu ei hwyneb gyda'i ewinedd. Mae Ifans yn ei wylio o gil ei lygad.*)

IFANS: Ac os oes 'na ogla ar rywun . . . arnat ti mae o.

LLANC: Hy!

IFANS: Be' dd'wedaist ti?

LLANC: Dim byd.

IFANS: Paid ti â meddwl 'mod i wedi cael 'y magu mewn budreddi, 'ngwas i.

LLANC: Dd'wedais i ddim y fath beth . . .

IFANS: Well i ti beidio hefyd . . . nid caridyms ydw i. (*Nid yw'r llanc yn cymryd fawr o sylw ohono*)

IFANS: Glywaist di be' dd'wedais i?

LLANC: Y?

IFANS: Nid un o'r caridyms ydw i, i ti fod yn deall.

LLANC: Reit!

IFANS: I ni gael hynny'n hollol glir cyn dechra. (*Mae'r llanc yn gwneud osgo i godi darn o gadach oddi ar y fainc*)

IFANS (*yn cipio'r gyllell i fyny eto ac yn neidio'n ôl*): Llai o hynna!

LLANC: Ond ma' rhaid i mi gael cadach ne' rwbath i lanhau'r paent 'ma oddi ar 'y ngwinedd.

IFANS: Cymer bwyll, 'ta.

LLANC: Pwyll o be'?

IFANS: Jyst cymer bwyll, dyna i gyd . . . paid â meddwl nad ydw i ddim yn barod amdanat ti.

LLANC (*tan wenu*): Am be' dach chi'n siarad, ddyn?

IFANS: Hidia di befo . . . 'ngwas i, hidia di befo. (*Mae'r llanc yn codi'r cadach i fyny'n araf*)

IFANS (*yn camu ychydig yn ôl*): Dwi . . . dwi'n ddigon sydyn, cofia . . .

LLANC (*yn amlwg yn tynnu arno yn awr*): I be'?

IFANS: I ddelio hefo . . . hefo . . . rhyw gyw slywen fel ti. (*Seibiant tra mae'r llanc yn glanhau ei ewinedd gyda'r cadach*) . . . Unrhyw amser, co . . . A phaid ti â meddwl yn wahanol, y sbrigyn, merchetaidd ceiniog a dima. (*Mae'r llanc yn gwenu arno fo*)

IFANS: Felly, ma' croeso i ti drio rhywbeth . . . unrhyw amser . . . unrhyw amser . . . dwi'n barod amdanat ti . . .

LLANC (*yn taflu'r cadach yn sydyn ar y fainc i ddychryn Ifans yn fwriadol. Mae Ifans yn neidio'n ôl eto.*) Ydi'ch nerfa chi'n ddrwg ne' rwbath?

IFANS: Dydw . . . dydw i ddim rhy hen i dy daclo di, co bach.

LLANC: Y hy!

IFANS: Be' ti'n . . . be' 'ti'n 'i feddwl 'y hy'?

LLANC: Dim byd ond 'y hy'! (*Distawrwydd gyda'r ddau yn rhythu ar ei gilydd*)

IFANS: Mi . . . mi riportia i di i'r . . . i'r Giaffar . . . Ia, dyna be' wna i . . . mi riportia i di i'r Giaffar a . . .

LLANC: Reit! Gwnewch, 'ta, falla ga' i dŵls gynno fo wedyn!

IFANS: Wyt ti'n meddwl na wna i ddim ne' rwbath?

LLANC: Dydi o ddiawl o ots gen i be' wnewch chi!

IFANS: Rwyt ti wedi mynd rhy bell . . . mi . . . mi ddeuda i wrtho fo dy fod ti'n rhegi a phethau felly. (*Mae'n bagio at y ffôn.*) . . . a phaid â trio fy rhwystro i chwaith . . . ne' . . . ne' mi fydd edifar . . . (*Mae'n codi'r ffôn i fyny at ei enau, rhoi ei gyllell i lawr a chodi gweddill y ffôn at ei glust*) Giaffar . . . Giaffar . . . dach chi yna . . . Ifans sy 'ma . . . mae o wrthi eto, Giaffar . . . yr hogyn 'ma . . . mwy na llond i ddillad, dyna i chi be' ydi o. (*Mae'r llanc yn gwneud arwydd amheus hefo'i fysedd ac yn eistedd ar y fainc*) . . . does dim rhithyn o fanars yn perthyn iddo . . . dim pwt o barch . . . a dwi wedi cael llond bol i chi fod yn deall . . . 'Tasa fo'n gwneud tipyn o waith, faswn i ddim yn meindio cymaint, ond dydi o ddim . . . mae o'n berwi o ddiogi.

LLANC: Hei, *hold on*, 'rhen ddyn, sgin i ddim tŵls i . . . (*Prysura at y ffôn*)

IFANS: Glywch chi o, Giaffar, yn torri ar 'y nhraws i . . . ac yn rhegi a . . . ma'i iaith o ddigon â chodi gwallt ych pen chi . . . ac yn y gweithdy, cofiwch.

LLANC (*yn rhuthro at Ifans a thrio cymryd y teleffon oddi arno fo*): Chewch chi ddim deud anwiredd amdana i chwaith . . . (*Mae'n trio gweiddi i lawr y ffôn*) . . . Palu anwireddau mae o, *chief*.

IFANS (*yn ceisio'i wthio i ffwrdd*): Dos o' ma . . .

LLANC (*yn dal i weiddi i lawr y ffôn*): Ac mae o'n gwrthod rhoi benthyg y gêr i weithio . . . cha' i fenthyg dim byd . . . (*Mae Ifans yn mynd ar ei liniau ar y llawr gyda'r ffôn*)

IFANS: Dos o ma'r cythral bach . . . mae o'n trio'n lladd i, Giaffar . . . mae o'n trio . . . (*Ceisia'r llanc gael y ffôn oddi arno; erbyn hyn mae'r ddau yn ymrafael ar y llawr. Daw'r ferch i mewn ac edrych mewn syndod ar y ddau.*)

MERCH: Be' yn y byd mawr sy'n digwydd yma? (*Mae'r llanc yn neidio ar ei draed a golwg reit euog arno*)

IFANS: (*yn dal i fod ar y llawr*): Dach chi ddim yn gweld . . . welsoch chi mohono fo yn . . . yn trio'n lladd i a . . .

LLANC: Deud anwiredd oedd o, *miss* . . . deud anwiredd wrth y *chief* . . .

IFANS: Petaech chi wedi dŵad i mewn funud yn hwyrach, mi fasa fo wedi 'nhagu i'n sych gorn yn y fan a'r lle . . . roedd o'n gwasgu 'ngwddw i a . . . (*Saif ar ei draed*)

LLANC: Wnes i ddim cyffwrdd yn 'i wddw fo, arno fo roedd y bai . . .

MERCH: Wnewch chi fod ddistaw. Oes gynnoch chi ddim cywilydd d'wedwch?

IFANS: Ond ddynes bach, welsoch chi ddim . . .

MERCH: Yn enwedig chi (*Wrth Ifans*) . . . Dwi'n hanner madda i hwn . . . ond dyn o'ch oed chi yn . . .

IFANS: Chymera i ddim tamad gynno fo i chi fod yn deall—dim tamad!

LLANC: Hen ddyn cuchiog, annifyr, dwl ydi o.

IFANS: Dydw i ddim yn rhy hen i ti, 'ngwas i, o, nac dw . . .

LLANC: Chewch chitha ddim deud clwydda amdana i chwaith.

MERCH: Wnewch chi fod ddistaw . . . Gwrandewch arna i . . . Dim gair chwaneg . . . Os dach chi isio ymladd, ewch allan i'r stryd yna . . . ond nid yn y fan hyn, dach chi'n deall . . . nid yn y gweithdy yma! (*Mae'r ferch wedi gwylltio'n llwyr gyda'r ddau a chawn seibiant o ddistawrwydd gyda'r ddau ddrwgweithredwr yn edrych yn reit ofnus ac euog*) Nawr, 'te. Ti. (*Wrth y llanc*) Dos i gael tipyn o drefn yn y storwm yna . . . (*Mae'r llanc yn rhedeg i'r storfa*) . . . a chitha, yn ôl at y fainc 'na . . . mi fydd rhaid eich cadw chi ar wahân, ma' gen i ofn . . . yn enwedig pan fydda i ddim yma i gadw llygad arnoch chi.

IFANS: Mi ddeudis i ddigon na fasa fo ddim byd ond trwbwl . . .

MERCH: Sant ydach chi, wrth gwrs.

IFANS: Ond mae o'n dwp fel llo, *miss*, fedar o ddim . . . fedar o ddim . . . ddim crafu paent oddi ar wyneb y ddol 'ma hyd yn oed . . . Nefi! mi faswn i'n gallu gwneud gwell job hefo ngwinadd! (*Rhydd y ffôn yn ôl ar y gist*)

MERCH (*yn agor ei llyfr cownt a dechrau edrych ar y tŵls ar y fainc*): Oes yna chwaneg o dŵls 'na hyn?

IFANS: Mae o'n rhy ddiog i fynd i dorri'i wallt hyd yn oed . . . diawch, sut medra i drystio pobl 'fath â hwnna i . . . i wneud gwaith delicét fel hwn . . .

MERCH: Mi fydd rhaid i ni gael tŵls newydd, ma'r rhain wedi gweld 'u dyddia gwell.

IFANS: A sut medar rhywun weithio yn y dydd ac . . . yn potio ar hyd y tafarndai 'ma yn y nos . . .

MERCH: Be' dach chi'n drio'i ddweud?

IFANS: 'I fod o'n chwil ulw gaib bob nos, dyna i chi be'.

MERCH: Sut gwyddoch chi hynny . . . oeddach chi hefo fo?

IFANS: Fi? . . . Rois i 'rioed fy nhroed dros riniog tafarn yn 'y mywyd a wna i ddim chwaith . . . O na, dim fel'na ges i 'magu . . . 'I weld o wnes i . . .'i weld o yn 'i lordio hi drwy'r pentra 'ma hefo'i ffrindia neithiwr . . . ac roedd y rheini lawn mor feddw â fo ac yn rhegi a gweiddi . . .

MERCH: Fydda i ddim yn hoffi cario straeon, Ifans.

IFANS: Cario straeon! . . . Cario straeon ddeudsoch chi? . . . Ond ma' 'na stori a stori, *miss* . . . o, oes . . . ac ma' hi'n ddyletswydd arnoch chi i riportio rhai petha . . . a dyna be' wna i hefyd . . . riportio 'i brancia fo i gyd i'r Giaffar.

MERCH (*yn cerdded at ddrws y storws*): Ddoi di i mewn i fan hyn am funud?

IFANS: Ia . . . deudwch chi wrtho fo . . . mi wrandawith o arnoch chi . . . waeth i mi heb na deud dim.

LLANC (*yn ymddangos yn y drws*): Ia?

IFANS: A gofynnwch iddo fo hefyd pwy oedd yr hogan goman yna oedd yn hongian am 'i wddw fo.

MERCH: Dyna ddigon, Ifans. (*Mae'n troi at y llanc*) Dos i lawr i'r dre i brynu llond bocs o dŵls newydd.

IFANS: Be' . . . be' dd'wedsoch chi?

MERCH (*heb gymryd fawr o sylw o Ifans*): A gofala dy fod ti'n cael y rhai gorau sy yn y siop.

IFANS: Hei . . . *hold on*! Gan bwyll, nawr. Ara deg. Tŵls, dd'wedsoch chi? . . . Mynd i nôl tŵls? Ylwch, fi sy'n gyfrifol am gêr y gweithdy 'ma a . . .

MERCH: 'Tasach chi wedi bod yn fwy cyfrifol, fasan nhw ddim mewn cymaint o stad ag y ma'n nhw heddiw . . . drychwch (*Mae'n codi cynion coed oddi ar y fainc*) Drychwch ar y cynion yma . . . dydi'r rhain ddim wedi gweld carreg hogi ers blynyddoedd.

IFANS: Mi fydda i'n 'u hogi nhw'n gyson.

MERCH: Ac ma'r tŵls yn y bocs acw wedi rhydu'n solat.

IFANS: Ond fuo 'na ddim galw am . . .

MERCH: Ac yn ôl y cyfri o be' sy i fod yma, mae'u hanner nhw ar goll.

IFANS: Wel . . . wel, dyna be' dwi wedi bod yn drio'i ddeud wrthach chi . . . Y Fo sy wedi mynd â nhw . . .

LLANC: Mynd â be' . . . wnes i ddim cyffwrdd mewn dim.

IFANS: Nid ti dwi'n 'i olygu . . . ond Fo. (*Mae'n amneidio at ddrws y seler*) . . . Fo yn y seler 'na . . . roedd o'n prowla wedyn neithiwr . . .

LLANC (*yn rhedeg at ddrws y seler*): Wel, wrth gwrs . . . Y Bo Bo . . . Drychiolaeth y Dyfnder Du . . . (*Mae'n mynd ar ei gwrcwd ac yn gweiddi drwy'r twll clo*) . . . Tyrd â'r tŵls 'na'n ôl, y lleidr diawl!

IFANS: Paid ti â gwneud sbort o . . .

LLANC (*yn troi i edrych ar Ifans*): Sbort o be'? . . . Dwi'n 'i ofni o fel
gŵr â chleddau . . . Bo Bo Bwci Bo, cnoi y fuwch a llyncu'r llo, Bo
Bo . . .

MERCH (*yn gweiddi'n uchel*): Taw! (*Distawrwydd hollol gydag Ifans a'r
llanc yn edrych arni*) . . . Tyd oddi wrth y drws 'na.

LLANC: Dim ond chwara oeddwn i . . .

MERCH: Gall chwara droi'n chwerw . . . Tyd yma. (*Mae'r llanc yn
gadael y drws*) Rydyn ni wedi gwastraffu digon o amser yn barod y
bore 'ma.

IFANS: Mae o'n berwi o ddiogi . . .

MERCH: Dwi wedi paratoi rhestr o'r petha fydd eisiau. (*Mae'n tynnu
darn o bapur allan o'r llyfr cownt*) Dwêd wrthyn nhw am anfon bil i
mi. Dyma ti. (*Mae'n gwneud osgo i roi'r rhestr i'r llanc*)

IFANS (*yn cipio'r rhestr cyn i'r llanc gael gafael ynddi*): Os oes rhaid
cael twls, mi a' i i'w nhôl nhw . . . fydd y llipryn yma ddim yn
gwybod be' 'di be'.

MERCH: Mae'r archeb yn ddigon eglur i bawb. Rhowch hi'n ôl iddo fo.

IFANS: Ond mi neith y petha siop 'na fo o dan 'i drwyn . . . 'i dwyllo fo
wnân nhw . . . ac . . . ac ma' 'na rai twls na fedrwch chi ddim 'u
disgrifio nhw ar bapur . . . (*Mae'n darllen y rhestr wrth ddweud hyn*)
Rarswyd bach . . . dach chi ddim isio'r rhain i gyd, *miss*!

MERCH: Oes. I gyd.

IFANS: Ond . . . ond lli' drydan . . . a . . . *lathe* . . . ma'r rhain yn . . . yn
costio ffortiwn.

MERCH: Fi sy'n talu.

IFANS: Ond . . . ond . . . ond ma' petha fel hyn yn beryg dach chi'n deall
. . . yn beryg bywyd . . . Nefoedd bach, mi allan nhw andwyo dyn am
weddill 'i fywyd . . . un camgymeriad a fft,—dyna'ch braich chi i
ffwr' yn y bôn.

MERCH: Yna mi fydd yn rhaid bod yn fwy gwyliadwrus, Ifans . . .

IFANS: Ond, *miss* . . . gwastraffu arian . . . ac . . . ma'r hen dwls yn well o
lawer . . . os oeddan nhw'n ddigon da i 'nhad a 'nhaid a . . .

MERCH: Ma' rhaid i ni symud hefo'r oes, Ifans.

IFANS: Dwi'n gwybod hynny, *miss* ond . . . ond . . . (*Mae'n cofio am
rywbeth yn sydyn*) . . . Peth arall, waeth i ni heb na'u cael nhw . . .
fyddan nhw'n dda i ddim . . . affliw o ddim byd!

MERCH: Pam felly?

IFANS: Wel, y lectric, *miss* . . . y lectric . . . does 'na ddim lectric yn y
gweithdy 'ma . . . ac weithia nhw ddim ar baraffin, wyddoch chi . . .
(*Chwardd yn uchel*)

LLANC: Mae o ar y ffordd!

IFANS: Pwy? (*Deil i chwerthin*)

LLANC: Y lectric!

IFANS (*yn peidio â chwerthin*): Be' 'ti'n 'i feddwl?

MERCH: Ma'r dynion yn dŵad yma i'w osod o.

IFANS: Be'? Be'?

LLANC: Ac maen nhw'n mynd i weirio'r lle o'r top i'r gwaelod . . . y seler a'r cwbwl . . .

IFANS: Dim ffiars o beryg. Dim ffiars o beryg.

LLANC: Gola mawr drwy'r lle i gyd.

MERCH (*wrth y llanc*): Dal dy dafod, wnei di.

IFANS: Chân nhw ddim mynd yn agos i'r seler 'na—dim tra bydd 'y nau lygad i'n gorad. Dwi'n ych rhybuddio chi rŵan.

MERCH: Dydy nhw ddim yn mynd ar gyfyl y seler, Ifans . . . y gweithdy a'r storws yn unig . . . mi fydd hynny'n help mawr i chi hefo'ch gwaith.

IFANS: Ma'n well gen i betha fel y ma'n nhw . . . yr hen drefn a'r hen dŵls.

LLANC: Mi neith y tŵls newydd i mi, 'ta . . . Dewch â'r ordor i mi gael mynd. (*Mae'n gwneud ymdrech i ddwyn y darn o bapur*)

IFANS: 'Nei di ddim byd o'r fath, cefndar . . . os oes tŵls newydd i fod, mi a' i i'w nhôl nhw . . . thrystiwn i mo'na ti 'mhellach na hyd braich.

LLANC: Yli, dwi wedi syrffedu ar dy gega di. Bla, bla, bla, bla, bob dim o'i le.

IFANS: Aros di'r gwalch. Mi dorra i dy grib di. (*Gwna osgo i fynd am y llanc*)

MERCH: Tewch! Tewch! Welis i ddim dau debyg i chi . . . fedrwch chi ddim cytuno ar bwy sydd i fynd i brynu'r tŵls hyd yn oed, heb sôn am 'u defnyddio nhw.

IFANS: Dydw i ddim yn mynd i adael i ryw geiliog dandi fel hwn . . .

MERCH: Dyna ddigon, Ifans! Ewch i'w cael nhw'ch hun, 'ta, yn enw popeth.

IFANS: Reit, 'ta. Reit. Dyna synnwyr rŵan (*wrth y llanc*) a dy roi ditha yn dy le. Mi a' i os . . . os oes rhaid 'u prynu nhw . . . dach chi'n siŵr bod rhaid cael y *lathe* a'r lli' drydan 'na . . .?

MERCH: Bob un sy ar y rhestr 'na . . . ac os na fedrwch chi'u defnyddio nhw, mi fedar rhywun arall.

IFANS (*yn tin-droi wrth y drws*): Mi fyddan yn beryg bywyd, gewch chi weld.

MERCH (*wrth y llanc*): Ma'n well i ti fynd ne' chawn ni byth . . .

IFANS: Dwi'n mynd . . . dwi'n mynd . . . ond mi fyddwch chi'n difaru'ch enaid, gewch chi weld . . . (*Mae'n mynd allan*)

LLANC (*ar ôl ennyd o ddistawrwydd*): Ma'n well i mi fynd yn ôl i'r storws 'na i orffan. (*Mae'n cerdded at ddrws y storfa*)

MERCH: Hanner munud.

LLANC: Ia?

MERCH: Roeddwn i'n meddwl ein bod ni'n deall ein gilydd.

LLANC: Be' sy'n bod, felly?

MERCH: Mi wyddost yn iawn be' sy'n bod . . . Wyt ti'n trio rhoi parddu yn y potas?

LLANC: Ond fe dd'wedsoch chi y dylwn i . . .

MERCH: Fe dd'wedais i nad oeddit ti i neud dim nes byddwn i'n dweud wrthyt ti!

LLANC: Ond mae petha'n symud yn union fel y plania . . . mae o fy ofn i'n barod . . . a chynta'n y byd y cawn ni wared ohono fo . . .

MERCH: Fe all gweithredu'n fyrbwyll sbwylio'r cyfan . . .

LLANC: Dwi wedi gwneud fawr o ddim ond tynnu'i goes o a . . .

MERCH: Tynnu'i goes o? Tynnu'i goes o, dd'wedaist ti? . . . Trio'i dagu o . . . dyna be' dd'wedodd o roeddat ti wedi'i neud . . . ac yn ôl yr ymrafael oedd yn mynd ymlaen pan ddois i mewn . . .

LLANC: Tagu pwy? . . . Diawch . . . wnes i ddim byd o'r fath . . . Mae o'n deud clwydda fel pys, dach chi'n gwybod yn iawn . . . Disgyn ar lawr ddaru o a . . . a 'nhynnu i ar 'i gefn.

MERCH: Roeddach chi'n ymladd, fe welis i chi.

LLANC: Wel, doeddwn i ddim yn mynd i adael iddo fo ddeud clwydda amdana i wrth y *Boss*.

MERCH: *Boss*?

LLANC: Wel, y dyn pia'r sioe 'ma.

MERCH: O, a phwy 'di hwnnw, felly?

LLANC: Y dyn 'na, y dyn mae o'n 'i ffonio bob cyfla ma o'n 'i gael . . . Giaffar . . . ne' beth bynnag mae o'n 'i alw fo.

MERCH (*yn araf*): Ac rwyt ti'n meddwl mai hwnnw 'di'r *boss*, felly?

LLANC: Diawch, sgin i ddim syniad . . . ond ma'r hen ddyn yn . . . yn riportio pob peth iddo fo ac mae o'n deud yr anwiredda mwya dan haul wrtho fo . . . amdanach chi hefyd . . .

MERCH: Gest ti air hefo fo?

LLANC: Hefo pwy?

MERCH: Hefo'r Giaffar 'ma . . . y dyn ar y ffôn.

LLANC: Ches i ddim cyfla . . . ond mi driais 'y ngora glas . . . dyna be' oeddwn i'n 'i wneud pan ddaethoch chi i mewn rŵan jest . . . roedd

o'n palu celwyddau wrtho fo a deud 'mod i'n berwi o ddiogi ac . . .
ac mi waeddis i lawr y ffôn.

MERCH: Atebodd o di?

LLANC: Dwn i ddim . . . roedd yr hen ddyn yn fy ngwthio fi o'r ffordd.

MERCH: Fasat ti ddim wedi clwad neb 'tasa fo wedi gadael i ti wrando.

LLANC: Na faswn?

MERCH: Dwi ddim yn credu bod 'na neb yr ochor arall.

LLANC: Neb ar y ffôn . . . Ond mi dwi wedi clywed yr hen ddyn yn
siarad lawer gwaith hefo fo.

MERCH: Hefo fo'i hun falla.

LLANC (*yn methu deall*): Be'?

MERCH: Siarad hefo fo'i hun mae o.

LLANC: Ond i be' aflwydd . . .?

MERCH: Glywaist di o'n gofyn am rif 'rioed?

LLANC: Rhif be'?

MERCH: Rhif teleffon. Sylwest ti na fydd o byth yn gofyn am rif . . . a
does gan y teclyn hen ffasiwn yna ddim deial arno fo.

LLANC: Falla mai *direct* lein ydi hi . . . ma' 'na rai hefo *direct* lein i'w
gilydd.

MERCH: Glywaist ti hi'n canu ryw dro . . . Glywaist ti'r gloch yn canu?

LLANC: Wel . . . wel, naddo erbyn ichi ddeud, chlywais i 'rioed . . .

MERCH: Peth rhyfadd na fasa'r Giaffar yn awyddus i siarad hefo fo
weithia.

LLANC: Felly, dach chi'n meddwl . . . falla . . . falla nad oes na neb ar y
lein yr ochr arall?

MERCH: Dwi ddim yn meddwl fod yna lein hyd yn oed!

RHAN 5

CYNNYDD

Amser: Yn ddiweddarach

Erbyn hyn, mae'r trydan wedi cyrraedd. Gwelwn y bylb golau yn hongian o'r nenfwd, a'r llif drydan yn hawlio lle amlwg yn y gweithdy. Yn un gornel, mae step ladder *fodern, ac yn y gornel arall bin plastig. Ar y mur wrth ddrws yr ystorfa, mae rhyw fath o* main switch *i reoli'r llif gron. Pan gyfyd y llen, mae'r llanc ar y teleffon. Nid oes neb arall ar y llwyfan.*

LLANC: Helô . . . helô . . . oes 'na rywun yna? Helô . . . Y Saer Dolia sy 'ma . . . ydach chi'n 'nghlywad i? . . . Helô . . . helô, Giaffar . . . ydach chi yna? . . . Helô . . .

(Clywir sŵn y tu allan i'r drws ac y mae'r llanc yn rhoi'r ffôn i lawr yn frysiog ac yn rhedeg i'r storfa. Daw'r Saer Doliau i mewn ac edrych o'i gwmpas fel o'r blaen.)

IFANS: Hei! . . . oes 'na rywun yma? . . . Helô 'ma! (*Mae'n cerdded at ddrws y storfa a'i agor*) Hei! . . . Tân! Tân! (*Ar ôl gwrando am ychydig mae'n cerdded yn ôl i ganol yr ystafell*) Dydi'r diawchiaid ddim wedi cyrraedd eto! . . . Gobeithio na ddôn nhw ddim, chwaith, dd'weda i . . . dwi ddim eisio gweld lliw 'u hwyneba nhw byth . . . byth bythoedd dragywydd . . . y tacla anystyriol . . . difetha'r lle 'ma . . . (*Wrth dynnu ei gôt, mae'n edrych i fyny ar y bylb trydan sy'n hongian o'r to*) Nhw a'u geriach . . . (*Wedi tynnu ei gôt, mae'n cerdded at y swits golau ar y mur a switsio'r bylb ymlaen ac i ffwrdd amryw o weithiau. Yna, mae'n cerdded yn ôl o dan y bylb a syllu arno am ychydig*) Faswn i ddim yn hir yn dy setlo ditha chwaith . . . (*Mae'n codi darn o bren a cheisio taro'r bylb ond heb fawr o lwyddiant*) Aros di funud, 'ta. (*Mae'n llusgo'r* step ladder *o'r gornel a'i gosod o dan y bylb. Bob tro y mae cefn Ifans at ddrws y storfa, rhydd y llanc ei ben allan i edrych arno.*) Mi setla i di . . . O gwnaf . . . mi gawn ni weld pwy 'di'r bos . . . (*Mae'n dringo'r ysgol. Wedi cyrraedd y top, ceisia dynnu'r bylb ond mae'n llosgi ei law gan fod y bylb yn boeth. Daw i lawr yn frysiog a dechrau ymbalfalu yn y bocs twls. Tyn siswrn anferth allan a dringo'r ysgol eilwaith.*) Mi

ddangosa i ti be' 'di be' . . . Ma' 'na fistar ar Mistar Mostyn hefyd . . .
(*Wedi cyrraedd y top, mae'n torri fflecs y golau ryw droedfedd
uwchben y bylb a deil ef yn fuddugoliaethus rhwng ei fys a'i fawd.
Daw i lawr yr ysgol unwaith eto a mynd at y swits golau. Gwelwn ef,
yn ei ddiniweidrwydd, yn ei switsio ymlaen gan syllu ar y bylb yn ei
law. Chwardd yn uchel o ddarganfod ei fuddugoliaeth ac egyr ddrws
y seler. Teifl y bylb i mewn a chloi'r drws cyn gynted ag y gall.*) Chân
nhw ddim y llaw ucha arna i ar chwara bach . . . O, na chân . . .
(*Mae'n cerdded at y llif gron*) Mae 'na ffordd i dy setlo ditha hefyd
. . . (*Mae'n dechrau ysgwyd y peiriant a'i guro â'i ddwrn. Mae'n
craffu arno. Wrth iddo wneud hyn, try'r llanc y* main switch *ymlaen
heb i Ifans ei weld. Ceir y sŵn mwyaf ofnadwy yn dod o grombil y
peiriant a neidia Ifans yn ôl mewn dychryn. Gwna bob math o
ymdrech i'w stopio ac yn y diwedd teifl ddarnau o goed, offer, etc.
ato. Gwelwn y llanc unwaith eto yn troi'r* main switch *i ffwrdd a
distawa'r peiriant yn araf. Wedi iddo ddistewi'n llwyr, eistedd Ifans i
lawr yn agos i'r ffôn gan sychu'r chwys oddi ar ei dalcen â darn o
gadach budr*) Rarswyd! Mi fuo bron i mi 'i chael hi rŵan . . . Duw
â'n gwaredo. (*Mae'n edrych ar y ffôn a chythru iddo yn ddiseremoni
heb dynnu ei gap y tro yma. Ar y teleffon.*) Giaffar . . . Helô . . . helô,
Giaffar . . . Giaffar, dach chi'n gwrando arna i? . . . Helô . . . Dwi
wedi cael llond bol i chi fod yn deall . . . Llond bol! Ma'n nhw wedi
troi'r lle 'ma yn Dŷ Jeraboam . . . Diawch, dwi'n methu'ch deall
chi'n tôl, Giaffar . . . yn tôl! . . . Pam na ddangoswch chi be' 'di be'
iddyn nhw unwaith ac am byth . . . Fedra i neud dim byd fy hun . . .
Ma'n rhaid i chi neud rhwbath, Giaffar . . . Ma'n rhaid i chi! . . . Dwi
wedi dŵad i ben 'y nhennyn . . . Ma' . . . ma'r peirianna felltith 'ma
ddigon â byddaru rhywun . . . yn rhuo o fora gwyn tan nos . . . a
phwy roddodd ganiatâd iddyn nhw . . . Y? . . . Dyna be' faswn i'n
licio'i wybod . . . pwy roddodd ganiatâd iddyn nhw ddŵad â'r
geriach i mewn yn y lle cynta . . . Giaffar, dach chi'n gwrando arna i?
. . . Deudwch rwbath . . . Deudwch rwbath tasa fo ddim ond pesychu i
ddeud ych bod chi yna . . . Dydi hynny ddim yn gofyn gormod, nac
ydi . . . Diawch! . . . dach chi ddigon â pheri i ddyn feddwl mai fo
sy'n rong a nhw sy'n iawn. Deudwch rwbath . . . dach chi'n 'nghlwad
i? Giaffar . . . deudwch rwbath . . . dach chi ddim wedi deud dim ers
dyddia. O'r gora, 'ta, os ma fel 'na dach chi'n teimlo, gwrandwch ar
hyn . . . dyma fo i chi yn blwmp ac yn blaen . . . Fedra i ddim diodda
mwy . . . dim diwrnod mwy . . . Dwi'n mynd i falu'r holl bali lot yn
dipia mân . . . Glywsoch chi . . . bob sgriw a nytan . . . bob olwyn,

powlan ac echel . . . Ma' . . . ma' gin i hen ordd yn y tŷ 'cw . . . mi
ddo i â honno . . . mi ddo i â honno yma heno . . . heno nesa! . . . ac
mi leinia i'r lli' gron 'na nes bydd hi ddim gwerth 'i chodi . . . mi'u
cnocia i nhw'n bantia . . . a . . . ac . . . mi rwyga bob weiran gopa
wallgo o'r walia 'ma . . . mi fala i bob bylb . . . a . . . ac . . . wedi i mi
orffan hefo'r lle . . . (*Gwelwn y llanc eto yn troi'r* main switch *ymlaen
ac y mae'r llif gron yn ailddechrau ei chwyrnu byddarol. Neidia Ifans
eto mewn dychryn gan daflu rhagor o bethau ati i'w stopio. Ymhen
ysbaid byr ar ôl hyn, â Ifans ar ei liniau ar y llawr gan guddio'i ben
a'i glustiau rhag y sŵn. Rhed y llanc allan o'r storfa ac agor a
chau'r drws allanol i roi'r argraff mai nawr mae'n dod i mewn.*)

LLANC: Be' dach chi'n drio'i neud?

IFANS (*yn gweiddi*): Gwna rywbeth . . . gwna rywbeth yn lle sefyll yn
fan'na . . . gwna rywbeth . . .

LLANC: Dwi'n clywed dim dach chi'n 'i ddeud . . .

IFANS: Ma' hi wedi rhysio, wedi mynd yn wyllt.

LLANC: Be'?

IFANS: Rhysio . . . ma'r weiars wedi croesi . . . gwna rywbeth . . .

LLANC: Diffoddwch y peth yna, dwi ddim yn clywed gair . . .

IFANS: Be'?

LLANC: Trowch y peiriant 'na i ffwrdd!

IFANS: Dyna be' dwi'n drio'i neud, y twpsyn . . . ond fedra i ddim . . .
ma'r . . . ma'r weiars wedi croesi . . .

LLANC (*yn mynd at y* main switch): Dim ond symud hwn sy isio . . . fel
hyn. (*Mae'r peiriant yn marw'n araf*) Mae o wedi'i farcio arno yn
eitha plaen . . . 'OFF' at i fyny ac 'ON' at i lawr . . . ylwch, dowch
yma i mi gael dangos i chi.

IFANS: Ddo i ddim yn agos ato fo . . . byth dragwyddol . . .

LLANC: I be' o'dd isio rhoi'r peth ON o gwbl?

IFANS: ON? . . . ON? . . . Be' 'ti'n 'i feddwl 'ON'? . . . Es i ddim yn agos
ato fo . . . y weiars sy wedi croesi . . . dwi wedi deud digon y basa
hyn yn saff o ddigwydd.

LLANC: Ond mi o'dd y switch i lawr ar 'ON' . . . fasa fo ddim yn symud
'i hun . . .

IFANS: Es i ddim yn agos ato fo . . . Wyt ti ddim yn 'y nghlywed i'n deud
wrthat ti . . . Mae'r peth yn beryg marwol . . . Wyddost ti ddim be' all
ddigwydd . . .

LLANC: Falla ma' fo ddaru!

IFANS: Y?

LLANC: Fo . . . fo . . . yn y seler . . . Falla'i fod o'n hoffi'r gêr newydd
'ma . . . a . . . a'i fod o isio trei arnyn nhw . . . (*Mae'n edrych i fyny i
ble'r oedd y bylb yn hongian. Ifans yn edrych i fyny'n sydyn.*) Mae o
wedi dwyn y bylb . . . ma' o wedi cymryd at y petha lectric 'ma'n saff
i chi . . . (*Mae Ifans yn edrych yn amheus ar y llanc fel petai'n rhyw
led amau bod y llanc yn gwybod mai ef sy'n gyfrifol am ddiflaniad y
bylb*) . . . A sbiwch . . . mae o wedi mynd â darn o'r weiran hefyd . . .
falla'i fod o wedi mynd â fo i'r seler am 'i bod hi mor dywyll yna . . .
dach chi ddim yn meddwl?

IFANS: Falla . . .

LLANC: Oedd y lli' gron yna ymlaen pan ddaethoch chi i mewn?

IFANS: Nawr aeth hi 'mlaen . . . Nawr, y funud yma . . . Wnes i ddim ond
edrych arno a dyma fo'n dechra.

LLANC: Mae o yma, felly. Fo o'r seler. Wedi hoffi'r gêr newydd mae o ac
eisiau trei arnyn nhw.

IFANS: Be' 'ti'n 'i feddwl?

LLANC (*yn edrych o'i gwmpas yn ddramatig*): Mae o yn y stafell yma
rŵan . . . 'tasan ni ond yn gallu'i weld o . . . (*Ifans yn edrych o'i
gwmpas yn sydyn ond yn dal i edrych yn amheus ar y llanc*) . . . Dach
chi ddim yn teimlo'i bod hi wedi mynd yn oer yn sydyn . . .?

IFANS: Y?

LLANC (*yn ffug ddramatig*): Oer . . . mae hi wedi mynd yn oer yn sydyn
. . . mae hynny bob amser yn arwydd o bresenoldeb ysbrydion drwg.
(*Mae'n edrych o'i gwmpas*)

IFANS: Clyw . . . paid â meddwl y gelli di fy nychryn i, co . . . Dwi'n hidio
'run ffeuan i ti fod yn deall . . . dim hynna. (*Mae'n clecian ei fys a'i fawd*)

LLANC (*heb gymryd fawr o sylw o'r hyn y mae Ifans wedi ei ddweud*):
Ma' hi'n dechra mynd yn boeth eto rŵan . . .

IFANS (*yn edrych o'i gwmpas yn ofnus*): Wyt ti'n gwrando arna i . . .
(*Mae'n bagio'n araf at y* main switch *ar y mur*) Dwi'n deall be' dach
chi'n trio'i neud . . . y ddau ohonoch chi . . . ond chewch chi ddim
gwared ohona i ar chwara bach . . . O, na chewch . . .

LLANC (*yn gweiddi ac yn pwyntio at rywbeth y tu ôl i Ifans*): Gwyliwch!

IFANS (*yn troi mewn dychryn*): Y?

LLANC (*yn pwyntio at y* main switch): Peidiwch â mynd yn agos at
hwnna . . .

IFANS: At be'?

LLANC: Roeddach chi'n mynd i gyffwrdd ynddo fo . . . 'tasach chi wedi
pwyso yn erbyn hwn'na, mi fasa hi ar ben arnach chi!

IFANS: Be' 'ti'n 'i feddwl?

LLANC: Ma' hwnna'n berwi hefo lectric . . . yn fan'na ma'r *electronics* yn troi fel chwrligwgan . . . a 'tasa chi'n twtsiad ynddo fo . . . fft! . . . Mi fasa hi ar ben arno chi . . . Fflach fawr, a dyna hi. Ble ma'ch menig chi? (*Cerdda'r llanc at y fainc a chodi pâr o fenig beic modur*)

IFANS: Menig?

LLANC (*yn dangos y menig beic a'u gwisgo*): Fel y rhain . . . Mae'n rhaid i chi gael menig!

IFANS: I be', yn eno'r dyn?

LLANC: Fiw i chi gyffwrdd yn y peirianna 'na heb fenig . . .

IFANS: Dydw i ddim yn mynd i gyffwrdd ynddyn nhw . . . dwi wedi deud wrthat ti . . . cadw'n glir . . . Mae fy hen dŵls i'n ddigon da i mi.

LLANC: Ond mi fydd yn rhaid i chi gael menig hefo'r rheini hefyd.

IFANS: Be' 'ti'n 'i feddwl?

LLANC: Fedrwch chi ddim twsiad mewn dim metal, dach chi'n gweld . . . dim heb fenig, felly . . . mae'r awyr yma'n glwstwr o'r lectronics . . . ac . . . ac mae metal yn 'u tynnu nhw ato fo . . . bob metal . . . *Electro magnito force* dach chi'n deall . . . fiw ichi gyffwrdd dim byd heb fenig . . . (*Mae Ifans yn troi'n sydyn ac yn mynd am ei gôt sy'n hongian ar hoelen yn rhywle*) . . . Ble dach chi'n mynd?

IFANS: Meindia dy fusnes!

LLANC: Gwyliwch yr hoelen 'na sy'n dal ych côt chi . . . mae honna'n fetal hefyd . . . Ac mae'n well i chi beidio gwisgo sgidia hoelion mawr o hyn allan . . . na giard wats. (*Deil y bachgen y gôt i Ifans ei gwisgo. Daw'r ferch i mewn.*)

MERCH: Ac i ble rydach chi'n meddwl ych bod chi'n mynd?

IFANS (*yn gwisgo'i gôt heb edrych arni*): Allan!

LLANC (*wrth y ferch*): Mae o ofn y lectric.

MERCH: O!

IFANS: Does gen i ofn affliw o neb ohonoch chi, deallwch chi. Neb!

MERCH: Pam dach chi'n mynd allan, ynte?

IFANS: Dwi'n mynd i weld y Giaffar . . . dyna i chi ble dwi'n mynd . . . I weld y Giaffar . . .

MERCH: Be' sy o'i le ar y ffôn?

LLANC: Ie, pam na riportiwch chi ni ar y ffôn fel y byddwch chi'n arfar 'i wneud?

IFANS: Mae'n well gen i 'i weld o'n bersonol y tro yma.

LLANC (*yn codi'r ffôn*): Mi alwa i arno fo, os liciwch chi . . .

IFANS (*yn rhuthro ato ac yn cipio'r ffôn o'i ddwylo*): Rho hwnna i lawr . . .

MERCH: Siaradwch chi hefo fo, ynte?

IFANS: Dwi wedi deud wrthach chi mod i'n mynd i'w weld o'n bersonol . . . wyneb yn wyneb . . .

LLANC: Wn i be' sy . . . falla fod y ffôn wedi torri. Mae hynny'n digwydd weithia. Mi wna i notis i'w roi arno—*Out of Order*.

MERCH: Ydi o ddim yn ateb, ynte?

IFANS: Dim o'r fath beth . . .

LLANC: Ne' falla nad ydi o ddim adra . . . falla'i fod o wedi mynd ar 'i holides . . .

MERCH: Ne'n cysgu . . . ia, dyna fo, ma' hi braidd yn fora . . .

IFANS: Fydd o byth yn cysgu . . . dach chi'n deall, byth yn cysgu! . . . Byth . . .

LLANC: Hei . . . hwyrach 'i fod o wedi cael dropyn gormod ac yn methu codi at y ffôn . . . (*Chwardda'r llanc a'r ferch yn uchel*)

IFANS: Byddwch ddistaw! . . . Oes gynnoch chi ddim parch . . . Mae'r Giaffar yn iawn . . . O ydi . . . a pheidiwch chi â meddwl am funud na dydio ddim . . . Roeddwn i'n siarad hefo fo bora heddiw ddiwetha . . . Fe dd'wedodd wrtha i am fynd i'w weld o . . . ac mi . . . mi dwi'n mynd hefyd . . . Mi ga' i sgwrs hefo fo wyneb yn wyneb. (*Mae'n cerdded at y drws allanol*) . . . Ac ma' gen i lot i'w ddweud wrtho fo hefyd . . . lot fawr . . . mi fydd edifar gynnoch chi ddydd ych geni . . . (*Mae'n mynd o'r golwg drwy'r drws*)

LLANC (*yn rhedeg at y drws ac yn gweiddi ar ei ôl*): Cofiwch ni ato fo. (*Mae'n dechrau chwerthin dros y lle ond nid yw'r ferch hyd yn oed yn gwenu. Mae'n edrych yn synfyfyriol o'i blaen.*)

LLANC (*yn dod yn ôl i ganol y llwyfan*): Wedi mynd gartra mae o i gael y morthwyl mawr . . . Dyna ble mae o wedi mynd . . . i nôl yr ordd . . .

MERCH: Gordd?

LLANC: I falu'r lle 'ma'n dipia mân . . . Ia, 'tawn i'n marw! Mi clywais o . . . malu pob peiriant sy yn y lle 'ma, medda fo.

MERCH: Wrthyt ti dd'wedodd o hyn?

LLANC: Nage . . . wrth neb! . . . Siarad ar y ffôn oedd o . . . a finna'n cuddio . . .

MERCH: Be' dd'wedodd o i gyd?

LLANC: Deud wrth y Giaffar 'i fod o wedi cael llond bol ar betha . . . a . . . a'i fod o'n mynd i ddŵad yma heno ar ôl . . .

MERCH: Heno?

LLANC: Ia . . . ar ôl i ni glirio oddi yma . . . hefo gordd, medda fo, ac mae o'n mynd i waldio pob peiriant sy 'ma'n racs grybibion, jibidêrs.

MERCH: Wyt ti'n meddwl y gwneith o?

LLANC: Mi drith 'i ora glas. (*Mae'n pwyntio at y man lle bu'r bylb*) . . . Ylwch, mae o wedi dechra'n barod.

MERCH (*yn edrych i fyny*): Be' ddigwyddodd?

LLANC: Mi'i torrodd o i ffwrdd hefo siswrn . . . duwch, biti na fasa fo wedi cael sioc.

MERCH (*yn edrych o gwmpas yr ystafell*): Ble mae'r bylb rŵan, 'ta?

LLANC: Gan y Bwci Bo . . . mi'i taflodd o fo i'r seler.

MERCH (*yn fyfyriol*): Mae o o ddifri, felly . . .

LLANC: Roedd o mewn tipyn o stad ar y ffôn, beth bynnag, yn enwedig am nad oedd y Giaffar yn 'i ateb o.

MERCH (*yn troi i edrych arno'n sydyn*): Sut gwyddit ti?

LLANC: Dwi newydd ddeud wrthach chi . . . Roeddwn i'n gwrando arno fo . . .

MERCH: Sut gwyddit ti nad oedd y Giaffar ddim yn ateb?

LLANC (*yn edrych arni mewn syndod*): Ond . . . ond mae'n amhosibl . . .

MERCH: Dwi'n gwybod hynny ond sut gwyddit ti nad oedd neb yn ateb a thitha ymhell oddi wrth y ffôn . . .

LLANC: Wel, dyna be' oedd o yn 'i weiddi . . . 'd'wedwch rywbeth', medda fo, 'd'wedwch rywbeth' . . . 'tasach chi ond yn pesychu i ddweud eich bod chi yna'.

MERCH (*yn fyfyriol eto*): Dyna dd'wedodd o?

LLANC: Ac mi fydd o yma heno i chi cyn wiried â 'mod i'n ddyn byw . . . hefo gordd!

MERCH (*ar ôl seibiant hir*): Mi fydd yn rhaid i ni drefnu cyfarfod croeso iddo fo, yn bydd?

RHAN 6

Y GIAFFAR

Amser: Yn hwyrach y noson honno

Mae'r llanc newydd osod bylb newydd yn lle'r un a dorrwyd a goleua'r ystafell. Gwelwn ei fod mewn gwisg foto-beic. Mae'r helmet, y gogls a'r siaced gerllaw. Dyry loudspeaker *o dan y fainc weithio, a dirwyn y weiran ohono at recordydd-tâp. Ac yna, mae'n dychwelyd ac edrych o'i gwmpas. Daw'r ferch i mewn.*

MERCH: Ydi popeth yn barod?
LLANC: Bron iawn. Mi neidith allan o'i ddillad heno ac mi fydd yn dianc am 'i fywyd. Siawns na chawn ni lonydd wedyn. Cofiwch, roedd 'na rywbeth reit ddigri ynddo fo hefyd.
MERCH: Roeddet ti'n 'i weld o'n ddigri?
LLANC: Fedrwch chi ddim peidio chwerthin am 'i ben rywsut. Y stwnsian dibwrpas a'r stryffaglio pathetig a'r cyfan yn gwbl aneffeithiol. Fel gwenyn meirch wedi disgyn i'r dŵr yn y pot jam. Ddaw o ddim yn agos i'r lle byth eto, gewch chi weld.
MERCH: Ac rwyt ti'n gweld hynny'n beth digri?
LLANC: Ydach chi ddim?
MERCH: Ydi'r tâp wedi'i gysylltu?
LLANC: Ym mhlwg y storws. Wêl o mo'r weirian yn y tywyllwch.
MERCH: Mae o'n dod. (*Cipia'r llanc yr helmet a'r gogls a'r siaced. Â'r ferch at ddrws y storws.*) Diffodd y golau. (*Gwna'r llanc hynny a rhedeg i'r storws gan gau'r drws. Daw Ifans i mewn gyda lantern yn un llaw a gordd yn y llall. Edrych ar y peiriannau, yna ar y teleffon. Petrusa am ychydig eiliadau, yna croesa at y ffôn a'i godi.*)
IFANS: Giaffar . . . ydach chi yna? I chi fod yn deall, mae gen i ordd . . . Glywsoch chi . . . gordd! Cyn y bydda i wedi gorffen, mi fydd y lle ma'n racs grybibion . . . Deudwch wrtha i, ydw i'n gwneud y peth iawn? . . . Giaffar, ydach chi'n 'nghlywed i? . . . Os ydw i'n gwneud y peth rong, deudwch wrtha i am beidio. Helô . . . Giaffar . . . deudwch rwbath . . . helô . . . helô . . . (*Ymddengys nad oes neb yn ateb a dyry'r ffôn i lawr. Mae'n cerdded at y peiriannau, poeri ar ei ddwylo a chodi'r ordd i daro.*)
MERCH (*ar y tâp*): Saer Dolia.
IFANS: Pwy sy 'na?

LLANC (*ar y tâp*): Saer Dolia.

IFANS: Ble rydach chi?

MERCH (*ar y tâp*): Pwyso arnach chi!

LLANC (*ar y tâp*): Mygu . . .

MERCH (*ar y tâp*): Gwasgu . . .

LLANC (*ar y tâp*): Pwyso . . .

(Adweithia Ifans yn ofnus i ddechrau ond yn fuan mae'n adnabod y lleisiau, ac yn gweld y lousdpeaker *dan y fainc)*

IFANS: Chi sydd 'na . . . chi'ch dau. Mi wn i'n iawn. (*Daw miwsig electronig o'r fainc*) Dach chi'n meddwl 'mod i'n ddwl. Stopiwch y sŵn 'na a dowch i'r golwg. Dwi'n barod amdanoch chi. Dowch! Dowch! (*Daw'r llanc i'r golwg o ddrws y storfa. Mae'n gwisgo'r siaced a'r helmet erbyn hyn.*) Pwy sy 'na? Y? Pwy sy 'na? Sa'n ôl! Sa'n ôl! (*Cyfyd yr ordd yn fygythiol*)

LLANC: Rhowch honna i lawr, yr hurtyn.

IFANS (*yn camu'n ôl ond yn dal yr ordd yn fygythiol o'i flaen*): Sa'n lle rwyt ti.

LLANC: Rhowch honna i lawr fel dwi'n dweud.

IFANS: Ti wyt ti . . . mi wn i'n iawn . . . ti wyt ti. Chei di mo fy hambygio i eto. Mae'r amser wedi mynd heibio. Fi pia'r lle 'ma. 'Ti'n deall, fi. (*Mae'n eistedd i lawr yn ei gadair bron wedi ymlâdd. Saif y llanc am ennyd. Yna try at ddrws y seler.*)

LLANC: *Miss, miss.* (*Daw hithau*) Da i ddim. Mae o'n rhy styfnig i gael 'i ddychryn hyd yn oed. (*Eistedd Ifans a'r ordd o hyd yn ei law. Cipia'r llanc hi oddi arno a'i lluchio draw. Cyfyd Ifans ei ben . . .*)

IFANS: Pam na cha' i lonydd gynnoch chi? Wnes i ddim byd i haeddu cael fy nhrin fel hyn.

LLANC: Dim ond tin-droi yn ych llanast ych hun.

MERCH: Esgeuluso'r gweithdy.

LLANC: Lluchio doliau yn lle trwsio.

MERCH: Llenwi craciau gyda chŵyr.

LLANC: Colli petha.

MERCH: Dweud anwiredda.

LLANC: Creu bwganod.

MERCH: Gwrthod gwellianna.

LLANC: Osgoi gwaith.

MERCH: Beio rhywun arall.

IFANS: Ia, ia, ond nid ar gam. Fo fy'n gyfrifol, fo yn y seler.

LLANC: Peidiwch â phalu celwyddau. (*Wrth y ferch*) Gadewch i ni fynd. Does dim pwrpas aros yma. (*Â'r ferch i'r storws*)

IFANS: Clywch! Gofynnwch i'r Giaffar. Gofynnwch i'r Giaffar eich hun.

LLANC: Pa bryd ydach chi am sylweddoli nad oes 'na ddim Giaffar? (*Yn croesi at y teleffon a'i godi*) Does 'na ddim sŵn o gwbl yn y teclyn hen ffasiwn yma. Dim hym na chlecian na dim. Dim oll. A dydi teleffon heb ddim sŵn ddim yn gweithio. Dydi rheswm yn dweud nad oes 'na neb yn ych clywed chi, na chitha'n clywed neb. Ond dyna fo, waeth heb â disgwyl i chi fod yn rhesymol.

IFANS: Aros! Gwranda arna i. Mae'r weiran yn mynd yn syth at y Giaffar.

LLANC: Yn syth i'r siling. Dim cam pellach. Mae hi'n darfod mewn gwe pry cop yn y siling.

IFANS: Gwe pry cop? Sut gwyddost ti? Sut gwyddost ti?

LLANC: Mi eglura i o'n syml i chi. Cyn medrwch chi gael teleffon i weithio, rhaid i chi gael weiran yn dŵad i'r lle. A does 'na 'run. Does 'na ddim weiran yn dod yn agos i'r lle 'ma, yn nac oes?

IFANS: Dim weiran?

LLANC: Dim llathen. Ne' mi fasech yn 'i gweld hi. Yn basech?

IFANS: Felly, does 'na ddim . . .

LLANC: Nac oes. Neb. Gwe pry cop . . . a dim byd.

(*Mae Ifans yn croesi at y ffôn, ei godi a gwrando*)

IFANS: Gwe pry cop.

LLANC: A dim.

IFANS: Does 'na ddim Giaffar?

LLANC: Synnwyr cyffredin o'r diwedd. Wrth gwrs does 'na ddim Giaffar. (*Yn croesi at y storws*) Ydach chi'n barod i fynd, *miss*? (*Egyr drws y seler ohono'i hun gyda chlec. Neidia Ifans mewn dychryn.*)

LLANC (*yn chwerthin*): Go dda! Bron i chi fy nychrinu i!

IFANS: Na! Na! (*Mae'n bagio mewn arswyd fel petai rhyw ddrychiolaeth wedi dod allan. rhed at y drws allanol a'i agor. Erbyn hyn, mae barrau mawr wedi ymddangos ar draws y porth i'w atal rhag dianc. Dechreua garlamu o gwmpas y gweithdy yn hollol orffwyll.*) Giaffar! Giaffar! (*Disgyn ar draws ei fainc*)

LLANC: Twt lol, difetha'r hwyl i gyd. Pam ddiawch na fasach chi'n rhedag allan y tro cynta, y twpsyn. (*Mae'n ei bwnio â blaen ei droed*) Cym on, ddyn. Fedrwch chi ddim cymryd tipyn o hwyl. Rhowch y golau ymlaen, *miss*. (*Sylweddola nad yw hi yno*) O, wel . . . (*Try'r golau ymlaen ei hunan a mynd at ddrws y seler gan alw*) Mae'r hen ffŵl wedi llewygu, dowch odd'na. (*Yn mynd at Ifans a galw dros ei ysgwydd*) Mi fydd yr un fath yn union eto pan ddaw o ato'i hun. (*Wrth Ifans*) Sut mae cael gwared ohonoch chi, deudwch? Mi fyddwch yn stwnsian a photsian eto ddydd ar ôl dydd. (*Galw dros ei ysgwydd*) Dowch yma, *miss*, i ni gael hwn ato'i hun. (*Daw hi o'r storws wedi ei gwisgo'n union fel yr oedd ar y dechrau un*) Iechyd, welais i mo'r wisg yna o'r blaen. (*Mae'r ferch yn cerdded heibio iddo at y Saer Doliau*)

MERCH: Mae Effraim Cadwaldr Ifans wedi marw.

LLANC: Be'? Be' dd'wedsoch chi? Ond . . . ond doeddwn i ddim ond eisio'i ddychryn o. Dyna oedd y cynllun, yntê? Ei ddychryn o. Dim byd arall. Ydach chi'n siŵr?

MERCH: Yn hollol siŵr. (*Gwthia'r ferch Ifans oddi ar y fainc a disgyn yn sypyn diymadferth i'r llawr*)

LLANC: Doedd o ddim i fod i farw. Chi ddaru! Chi ddaru agor drws y seler! Mi'ch gwelais chi. (*Mae'r llanc wedi cael tipyn o fraw ei hun erbyn hyn*)

MERCH: Wyt ti'n siŵr?

LLANC: Rydwi'n hollol siŵr.

MERCH: A finnau yn y storws drwy'r amser?

LLANC: Mi ddaru chi . . . mi ddaru chi fynd drwy'r wal . . . (*Yn sylweddoli beth mae wedi'i ddweud*) Mynd drwy'r wal. (*Mae'r ferch yn cychwyn am y drws*) Hei. Arhoswch! Be' wna i â hwn?

MERCH: Ti yw'r Saer Doliau nawr.

LLANC: Ble dach chi'n mynd?

MERCH: Oddi yma gan mai ti piau'r lle o hyn ymlaen.

LLANC: Fedrwch chi ddim mynd allan ffordd 'na.

MERCH (*A'i llaw ar glicied y drws*): Pam?

LLANC: Baria . . . y baria ar y drws. (*Y ferch yn agor y drws. Nid oes barrau y tu allan mwyach.*)

MERCH: Bariau?

(*Â allan. Rhed y bachgen at y drws ar ei hôl ac edrych i fyny ac i lawr. Daw'n ôl i mewn â golwg hurt ar ei wyneb. Saif yng nghanol y llwyfan am ychydig gan edrych ar y corff fel petai'n pendroni beth i'w wneud ag ef. Edrych ar ddrws agored y seler a dechreua lusgo'r corff tuag ato. Pan mae ar fin ei wthio i mewn, clywir y teleffon yn canu'n glir ac uchel.*)

LLEN

Dramâu Gwenlyn Parry: y casgliad cyflawn

Dramodydd pwysicaf Cymru tua diwedd yr ugeinfed ganrif oedd Gwenlyn Parry, un y disgrifiodd Saunders Lewis ef fel 'bardd o ddramäydd' ac a ddisgrifiwyd fel 'meistr y ddelwedd estynedig a bardd lluniau' gan Elan Closs Stephens. Am ei waith, dywed Annes Gruffydd yn y Rhagymadrodd i'r gyfrol hon: 'Dramâu ydyn nhw nid i'r pen ond i'r galon a'r llygaid a'r clustiau.'

Y dramâu hirion yn y gyfrol yw *Saer Doliau* (1966), *Tŷ ar y Tywod* (1968), *Y Ffin* (1973), *Y Tŵr* (1978), *Sal* (1980) a *Panto* (1989).

1 85902 779 2
£19.95